Q&Aでわかる

医薬品・美容・健康商品の

正しい

広告・EC 販売表示

技術評論社

弁護士法人
GVA法律事務所
〔弁護士〕
早崎智久・五反田美彩 編著

日本中の素敵な製品とサービスのために

はじめに

　人は、いつの時代も様々な物やサービスをつくり、販売してきました。必要とする人に届けるには、その存在を多くの人に知ってもらうことから始まります。そのとき「広告」が生まれます。

　広告は5000年前のバビロニアですでに行われ、日本でも奈良時代には始まっていたとされます。人の営みに深く結びついたものです。広告の方法は、時代や技術の進展と共に多様化していきました。バビロニアではレンガに書かれていたものが、やがて紙が発明されて普及し、20世紀にはラジオやテレビが新たな媒体として登場しました。そして、20世紀終わり頃にインターネットが生まれます。

　IT技術が大きく発展した今世紀初頭から20年余りが経過しています。人類の歴史から見ればわずかな時間ですが、その間に社会全体がインターネットを前提にしてあるかのように激変しました。販売のしくみも大きく変わり、いまやマーケティング活動にインターネットは欠かせません。人の歴史のなかでも特筆されるべき大変化の時代のなかに私たちは生きています。

　一方で、社会活動のためにルールを守らなければいけないことは、昔も今も変わりません。広告をする場合も同じです。日本では、医薬品の広告規制が1949年から始まり、あらゆるものを対象とした景表法が制定されたのが1963年です。当時は、健全な競争活動を支えるためのものでしたが、その後、消費者保護が重視されるようになり、多くの法令や業界基準が制定されました。

　しかし、インターネットを利用して、より少ないコストで広告ができるようになった結果、社会の広告量は爆発的に増加し、残念なことに違法な広告も氾濫しました。これに対する広告規制も強化され、摘発されるケースも増えています。近年、コンプライアンスのために広告チェック体制が必要とされ、上場審査でもその有無が厳しく査定されています。

　この状況の原因は様々ですが、広告ルールを正しく理解している人が少ないことにもあります。ルールは数多く複雑で、内容もわかりやすく書か

れていないので、読んでも簡単には理解できません。しかし、どのルールにもできた理由があり、不要なものはありません。そして、ルールを正しく理解することは誰にでもできるのです。

広告内容が適法かどうか確認して助言するのは、弁護士にしか認められていない一方で、広告ルールに詳しい弁護士も少なく、わかりやすく説明し、やり方を伝える者も多くありませんでした。

私たち GVA 法律事務所は、数多くの広告チェックを行ってきた者として、ルールを解説、紹介するだけではなく、どうすれば正しく理解してもらえるのかを考え、正しい広告チェックのやり方を広めることを目標に本書を執筆しました。

私たちは、広告を贈り物や花束を包む包装紙やリボンのようなものだと考えています。美しい包装紙やリボンは、贈られる人に喜びを与えます。でも、中身を欺くように包装だけきらびやかな贈り物をもらって喜ぶ人はいません。

世界には、素晴らしい物やサービスがあります。広告はその素晴らしさを伝えるためにあるのなら、人の気持ちに寄り添ったものでなければなりません。広告ルールはそのためにあります。

素晴らしい広告は、触れる人に喜びを与えるだけでなく、それを通じて素晴らしい物やサービスに触れる機会を人に与えます。広告ルールをより多くの人に理解してもらうことは、多くの人に多くの喜びを伝えることになります。本書を通じて、世界がそんな喜びにあふれるものになれば、執筆者として喜びにたえません。

弁護士法人 GVA 法律事務所
メディカル・ビューティー・ヘルスケアチームリーダー
弁護士／パートナー　早崎　智久

目次

Chapter

1 ヘルスケアビジネスにかかわる
法令の知識 11

Chapter

2 共通して知っておきたい
重要なポイント 39

Chapter

3

医薬品の広告・販売表示の Q&A …………… 97

Chapter

4

医療機器・美容健康家電の 広告・販売表示のQ&A ………… 117

Chapter

⑤ 医薬部外品・化粧品の 広告・販売表示のQ&A ············· 141

Chapter

⑥ 健康食品・サプリメント等の 広告・販売表示のQ&A ············· 191

Chapter 7 美容や医療の広告・販売表示の Q&A —— 207

Chapter 8 実際の広告チェックの流れ —— 223

● 法令やガイドラインの略称

法令・ガイドライン等の正式名称	本書での略称
不当景品類及び不当表示防止法	景品表示法、景表法
特定商取引に関する法律	特定商取引法
医療機器等の品質、有効性及び安全性の確保等に関する法律	薬機法
健康増進法	健康増進法
医療法	医療法
医薬品等適正広告基準	適正広告基準
医薬品等適正広告基準の解説及び留意事項等について	ガイドライン
OTC医薬品等の適正広告ガイドライン	OTC広告ガイドライン
一般用検査薬広告の自主申し合わせ	一般検査薬広告ガイドライン
医療機器適正広告ガイド	医療機器広告ガイドライン
家庭向け医療機器等適正広告・表示ガイドIV	家庭向け医療機器広告ガイドライン
コンタクトレンズの広告自主基準	コンタクトレンズ広告ガイドライン
補聴器の適正広告・表示ガイドライン	補聴器広告ガイドライン
自動体外式除細動器（AED）の適正広告・表示ガイドライン	AED広告ガイドライン
タンポンの広告記載に関する自主申し合わせについて	タンポン広告ガイドライン
家庭向け美容・健康関連機器等適正広告・表示ガイド	美容・健康機器広告ガイドライン
浴用剤（医薬部外品）の表示・広告の自主基準	浴用剤広告ガイドライン
化粧品等の適正広告ガイドライン	化粧品広告ガイドライン
化粧品等のインターネット上の広告基準	化粧品インターネット広告ガイドライン
健康食品に関する景品表示法及び健康増進法上の留意事項について	健康食品広告ガイドライン

Chapter 1

ヘルスケアビジネスにかかわる
法令の知識

Q01 ヘルスケア領域を取り巻く法令には何があるの？

医薬品・美容・健康商品の広告やECビジネスを考えている人にとって、どのような規制があるかを知っておくことはとても大切です。本書のはじめに、どのような法令があるのかを見ていきましょう。もっとも大切なものは3つです。

❶ 薬機法

医薬品や化粧品のビジネス・広告の規制のおおもとになる法律で、正式な名称は「医薬品、医療機器等の品質、有効性及び安全性の確保等に関する法律」です。

対象とするのは、医薬品、医薬部外品、化粧品、医療機器、再生医療等製品[1]で、まとめて「医薬品等」と呼ばれます。これらの販売や製造に関する許認可の種類と取得方法、安全対策についての規制、広告方法について規定しています。

広告の規制では、「虚偽誇大広告の禁止」「効果性能保証広告の禁止」「堕胎わいせつ文書等を用いた広告の禁止」「特定疾病用の医薬品・再生医療等製品の広告の制限」「承認前の医薬品・医療機器・再生医療等製品の広告の禁止」[2]などが規定されています。

❷ 健康増進法

サプリメント等の食品の販売を行う際に、留意しなければならない法令としては、健康増進法があります。この法律は、国民の健康の増進を目的としています。「特別用途表示等」の章のなかに「食品等についての健康保持増進効果等について誇大表示の禁止」[3]が定め

---

1) 身体の再生または病気の治療・予防のための細胞、病気治療のための遺伝子など。
2) 薬機法第66条から第68条まで。
3) 健康増進法第65条。

られていて、それがかかわってきます。

③ 景品表示法

　どんな物やサービスを一般消費者に販売・提供する場合でも、必ず留意しなければならないのがこの法律です。正式な名称は「不当景品類及び不当表示防止法」です。**景表法**とも略されます。

　この法律では、景品類の制限と禁止、製品やサービスの販売・提供の際の不当な表示を禁止しています[4]。違反した場合の措置命令や課徴金等についても定めています。

④ 各広告ガイドライン等

　薬機法で広告ルールは規定されていますが、ごくシンプルな条文で具体的な内容については記載されていません。健康増進法や景品表示法も同様です。そこで、各省庁や各業界にて広告基準・ガイドラインが規定されています。これらに準拠していれば、基本的に広告規制に反することはないと考えられます。

　各商品・サービスごとに存在するガイドライン等について、自身の扱う製品やサービス、ビジネスモデルにかかわるものがあるときは目を通しておく必要があります。

　次ページからは、製品分野ごとに対応する法令・各ガイドライン等と、記載された規制の内容について具体的に見ていきます。

---

4)　景品表示法第4条から第6条。

Q02 医薬品を規制する法令や ガイドラインは？

医薬品を規制する法令やガイドラインには様々なものがあります。ここでは、特に医薬品を扱う場合に確認が必要な法令とルールを詳しく見ていきましょう。

① 医薬品広告を規制する法令などの全体像

医薬品の広告ルールは、大きく①薬機法、②厚生労働省のいわゆる「適正広告基準」[5]と「ガイドライン」[6]、通達等、③業界団体が作成している自主基準に分かれています。

薬機法は特に重要なルール（ごくわずかです）を定めていますが、その1つ「虚偽誇大広告の禁止」については、厚生労働省の適正広告基準が詳細なルールを定めています。さらに適正広告基準だけでは判断が難しい場面の解説書として、ガイドラインを定めています。

なお、適正広告基準は「虚偽誇大広告の禁止」を詳細に定める部分（第4の1～3）と、医薬品等の広告について遵守すべき事項を定める部分（いわゆる「遵守事項」。第4の4以降）に分かれています。前者に違反することは「虚偽誇大広告の禁止」にあたり法令違反です。後者の違反には罰則はありませんが、同時に他の薬機法のルール違反になる場合が多いですし、行政指導の対象になりますので、遵守することが大切です。

② 薬機法、適正広告基準、ガイドラインの対象

①と②は、いずれも「医薬品等」を対象にしています。Q1で説明したように、医薬品だけでなく医療機器、医薬部外品、化粧品など

---

5) 正式な名称は「医薬品等適正広告基準」。
6) 正式な名称は「医薬品等適正広告基準の解説及び留意事項等について」。

の広告ルールも定めているのです。

　ただし、全てに同じルールなのかというと違います。適正広告基準を丁寧に読むと、「医薬品等は…」と「医薬品は…」としているところに分かれています。つまり、医薬品等に共通して適用されるルールと、医薬品だけのルールが混ざっているのです。

　医薬品だけに適用されるルールを確認するためには、適正広告基準・ガイドラインの内容を丁寧に読み、正確に理解することが大切です。しかし、法令に準ずるものなので専門的な用語もあり、様々な広告に関する問題に共通するルールとして抽象的な表現となっており、法律の専門家ではない、広告のクリエイティブやマーケティング担当者には理解しにくいものです。

③ 業界団体の自主基準

　③は、業界団体が自主的に作成している基準で、医薬品に関するものとしては、「OTC医薬品等の適正広告ガイドライン」（以下「**OTC広告ガイドライン**」）[7] と「一般用検査薬広告の自主申し合わせ」（以下「**一般検査薬広告ガイドライン**」）[8] の2つが重要です。

　まず、OTC広告ガイドラインは、文字通り「OTC医薬品」を対象とします。OTCはOver The Counterの略で「カウンター越しに販売する」という意味です。要するに、薬局やドラッグストアで処方箋無しに買える「市販薬」のことです。

　後述のように、市販薬ではない医療用医薬品は一般人向けの広告が禁止されています。広告を作成する医薬品とは、はぼOTC医薬品であり、この自主基準が適用されることになります。

　適正広告基準・ガイドラインの内容を踏まえて、医薬品に適用される共通・個別ルールを整理したもので、専門的なことには違いはないですが、OTC医薬品に関係ないルールはないため、とてもわかりやすいものになっています。さらに、適正広告基準・ガイドライ

7)　日本一般用医薬品連合会が定めています。

8)　一般社団法人日本臨床検査薬協会が定めています。

1

ヘルスケアビジネスにかかわる法令の知識

ンには明確に定められていない特別なルールも定められています。

　一方の「一般検査薬広告ガイドライン」は、一般用検査薬を対象にするものですので、OTC広告ガイドラインほどは一般的なものではありませんが、検査薬に関する特別なルールが定められています。

　業界団体の自主基準には罰則がないため、業界団体に加盟していなければ、違反しても問題ないといった意見を耳にすることもありますが、その意見に従うことはおすすめしません。

　自主基準は適正広告基準・ガイドラインを踏まえて作られており、多くは国が定めたルールと共通します。さらに、厚生労働省の確認を経て作成されているため、国としても**国のルールに準ずるもの**と捉えていると思われます。違法かどうかが問題になる際には、自主基準もあわせて参考にする可能性があります。

　医薬品に限りませんが、業界の努力によって流通している製品に関して、業界のルールを無視すること自体、社会的にも大いに問題になります。そのため、業界団体の自主基準の内容もしっかりと確認し、そのルールに従うことが必要です。

④ 通達について

　最後に、厚生労働省の通達です。通達は、個別の事項ごとに、必要がある場合に出されるもので、まとまった内容ではありません。適正広告基準やガイドラインは、過去の多数の通達の内容も踏まえて作成されていますので、これらとは別に通達の内容を確認する必要性は大きくありません。

● 医薬品の広告でチェックしておきたいルール

法律	・薬機法
法令など	・医薬品等適正広告基準（通称「適正広告基準」） ・医薬品等適正広告基準の解説及び留意事項等について（通称「ガイドライン」） https://www.mhlw.go.jp/file/06-Seisakujouhou-11120000-Iyakushokuhinkyoku/0000179263.pdf
業界自主基準	・OTC医薬品等の適正広告ガイドライン（通称「OTC広告ガイドライン」） https://www.jfsmi.jp/ad_guideline/ ・2021年広告表現・ガイドラインの変更点 https://www.jfsmi.jp/ad_guideline/item/guideline_change_point.pdf ・ガイドライン8(10) スイッチ成分等に関わる広告表現について https://www.jfsmi.jp/pdf/20220617_2.pdf ・OTC医薬品の広告に調査情報（効能効果又は安全性を除く）を使用する際の付記項目について[9] https://www.jfsmi.jp/pdf/20220617_1.pdf ・第25回OTC医薬品等広告研修会 説明資料：自主申し合わせ事項・広告審査会運用事項 https://www.jfsmi.jp/ad_guideline/item/voluntary%20rules_2022.pdf ・一般用検査薬広告の自主申し合わせ（通称「**一般検査薬広告ガイドライン**」） http://www.fpmaj.gr.jp/jisyu/documents/nyq536.pdf

1

ヘルスケアビジネスにかかわる法令の知識

---

9)　Q20参照。

Q03 医療機器・美容健康関連機器を 規制する法令やガイドラインは?

医薬品と同様に、医療機器や美容健康関連機器にも業界基準などの特別なルールがあります。ここでは、特に医療機器・美容健康関連機器を扱う人に必要な法令とルールを詳しく見ていきます。

❶ 医療機器ってなに?

医療機器か美容健康関連機器かで、広告の規制の内容が変わってきますので、それぞれの定義（内容）を理解しましょう。

医療機器とはなにかを定める薬機法の規定があります[10]。次の①と②の条件を満たす機械器具等です。

> ① 製品を使用する目的が以下のいずれか
> ・人／動物の病気の診断、治療、予防をするために使用されること
> ・人／動物の身体の構造・機能に影響を及ぼすこと
> ② 政令（薬機法施行令「別表第一」）で定めるもの

美容健康関連機器については、法令の規定はなく、一般社団法人日本ホームヘルス機器協会の定める自主基準によります。医療機器ではないもののうち、次の①と②の条件を満たす機械器具等とされています[11]。

> ① 主に光線、電位、電流、音波、振動、吸引、蒸気などを利用して人の肌や筋肉等に物理的な作用を与え

---

10) 薬機法第2条第4項。
11) 「家庭向け美容・健康関連機器適正広告表示ガイド」1頁。

> ② 肌を健やかに保つ、筋肉をトレーニングする等の美容的・健康
> 　的効果を期待する

2 医療機器と美容健康関連機器を規制する法令など

　医療機器の広告ルールは医薬品と同様に、大きく①薬機法、②厚生労働省のいわゆる**適正広告基準とガイドライン**、通達等、③業界団体が作成している自主基準に分かれます。薬機法が特に重要なルールを定め、「虚偽誇大広告の禁止」について厚生労働省の適正広告基準が詳細に定め、適正広告基準だけでは判断が難しい場面の解説書としてガイドラインがあること、虚偽誇大広告の禁止を詳細に定める部分と遵守事項に分かれていることも同じです。

　美容健康関連機器は、医療機器や医薬品ではないので、一番気をつけなければならないルールは、①**景表法**、②業界団体が作成している自主基準になります。ただ、医療機器と近い性能を持つ場合が多く、医療機器に見えるような広告をしてしまうと、薬機法に規定されている「未承認の医療機器の広告」として違法だと言われる可能性があるため、③**薬機法**も要注意の法律になります。

3 業界団体の自主基準

　業界団体の自主基準の内容もしっかりと確認し、そのルールに従うことが必要なことは、医薬品と同じです。

　医療機器に関するものとしては、「医療機器適正広告ガイド」（**医療機器広告ガイドライン**）と「**医療機器の広告に関するQ&A**」[12]、家庭向け医療機器に関するものとして「家庭向け医療機器等適正広告・表示ガイドⅣ」（**家庭向け医療機器広告ガイドライン**）[13] が重要です。また、個別の医療機器に関するものとしては、「コンタクトレンズの

ヘルスケアビジネスにかかわる法令の知識

---

12) どちらも一般社団法人日本医療機器産業連合会が定めています。
13) 一般社団法人日本ホームヘルス機器協会が定めています。

広告自主基準」[14]、「補聴器の適正広告・表示ガイドライン」[15]、「自動体外式除細動器（AED）の適正広告・表示ガイドライン」[16] などが重要です。

美容健康関連機器については、「家庭向け美容・健康関連機器等適正広告表示ガイド」（**美容・健康機器広告ガイドライン**）が重要です[17]。

④ 通達について

厚生労働省の通達についても医薬品と同じで、個別の事項ごとに必要がある場合に出されます。適正広告基準やガイドラインは、過去の多数の通達の内容も踏まえて作成されていますので、これらとは別に通達の内容を確認する必要性は大きくありません。

◑医療機器の広告でチェックしておきたいルール

法律	・薬機法
省令など	・医薬品等適正広告基準（通称「適正広告基準」） ・医薬品等適正広告基準の解説及び留意事項等について（通称「ガイドライン」） https://www.mhlw.go.jp/file/06-Seisakujouhou-11120000-Iyakushokuhinkyoku/0000179263.pdf
業界自主基準	・医療機器適正広告ガイド（通称「医療機器広告ガイドライン」） https://www.jdta.org/wp-content/uploads/2022/10/ad_guide.pdf ・医療機器の広告に関するQ&A https://www.jfmda.gr.jp/wp/wp-content/uploads/2022/07/医療機器の広告に関するQAについて.pdf ・家庭向け医療機器等適正広告・表示ガイドⅣ（通称「家庭向け医療機器広告ガイドライン」） https://www.hapi.or.jp/documentation/information/tekiseikoukoku_hyouji_guide_4.pdf

---

14）一般社団法人日本コンタクトレンズ協会が定めています。
15）一般社団法人日本補聴器工業会他が定めています。
16）一般社団法人電子情報技術産業協会が定めています。
17）一般社団法人日本ホームヘルス機器協会が定めています。

- コンタクトレンズの広告自主基準（通称「コンタクトレンズ広告ガイドライン」）[18]
  https://www.jcla.gr.jp/file/cl_koukokujishukijun_ippan201805
  14.pdf
- 補聴器の適正広告・表示ガイドライン（通称「補聴器広告ガイドライン」）
  https://www.jhida.org/pdf/kensyo/koukokuguideline_4th.pdf
- 自動体外式除細動器（AED）の適正広告・表示ガイドライン（通称「AED広告ガイドライン」）
  https://home.jeita.or.jp/upload_file/20190822143550_SueFv4
  6pKE.pdf
- JIS T9001に関する医療用マスク、一般用マスクの表示・広告ガイドライン
  https://www.jhpia.or.jp/about/jis/img/jis-t-9001_guideline.pdf
- JIS T9001 適合番号を取得するマスクの表示・広告自主基準
  https://www.jhpia.or.jp/standard/mask/img/jhpia_mask_stand
  ard02.pdf
- JIS T9001 適合番号を取得しないマスクの表示・広告自主基準
  https://www.jhpia.or.jp/standard/mask/img/jhpia_mask_stand
  ard01.pdf
- タンポンの広告記載に関する自主申し合わせについて（通称「タンポン広告ガイドライン」）
  https://www.pref.wakayama.lg.jp/prefg/050400/seizou/tuti/
  H22_7_9_d/fil/62.pdf
- パルスオキシメータの適正広告・表示ガイドライン（通称「パルスオキシメータ広告ガイドライン」）
  https://home.jeita.or.jp/upload_file/20220204143730_3BclxG
  riWS.pdf

ヘルスケアビジネスにかかわる法令の知識

◯ 美容健康関連機器の広告でチェックしておきたいルール

法律	・景表法 ・薬機法（未承認の医療機器の広告）
業界自主基準	・家庭向け美容・健康関連機器等適正広告・表示ガイド（通称「美容・健康機器広告ガイドライン」） https://www.hapi.or.jp/documentation/information/biyou_tekis eikoukoku_hyouji_guide.pdf

18) Q35参照。

Q04 医薬部外品・化粧品を規制する法令やガイドラインは？

ここでは、特に医薬部外品と化粧品を扱う人に必要な法令やルールについて見ていきます。まず、医薬部外品と化粧品とは何かについて理解しましょう。

❶ 医薬部外品ってなに？

　医薬部外品とは何でしょうか？　多くの人には「広告でよく耳にするけれど……」という程度だと思います。医薬部外品の定義は、薬機法の第2条第2項に書いてあります（長くなるので引用は省略します）。いくつか製品の使用目的が列挙されていますが、共通するのは「人の身体に影響するもので、本当は医薬品の仲間なのだけど、人体への影響の強さが医薬品のなかでは優しい部類になるので、あえて医薬品とは別にしたもの」です。薬用化粧品、入浴剤（浴用剤）、ビタミン剤、殺虫剤などが代表的なものになります。次項に説明する化粧品と医薬品の中間にあたりますが、**もともとは医薬品だった**というのがポイントです。

　医薬品は人体への影響が強いためとても厳しいルールがあり、販売できるようになるまでに長い年月がかかります。多くの試験をして、ちゃんと効くのか、副作用はないかなどを1つ1つ確認する必要があります。しかし、身体への影響が優しいものであればそこまで厳しくしなくてもいいだろうと、医薬部外品というジャンルが別につくられたと考えるとわかりやすいでしょう（Q37参照）。

❷ 化粧品ってなに？

　化粧品はとても身近なもので、多くの女性が使っていますし、コンビニなどでも気軽に買うことができるものです。とはいえ、こち

らもちゃんと説明するのは意外と難しいはずです。

　化粧品についても、薬機法第2条第3項に定義があります。少し長いですが引用すると、「人の身体を清潔にし、美化し、魅力を増し、容貌を変え、又は皮膚若しくは毛髪を健やかに保つために、身体に塗擦、散布その他これらに類似する方法で使用されることが目的とされている物で、人体に対する作用が緩和なもの」とされています。要するに①身体を綺麗に（清潔にすることも美しくすることも含みます）したり、②皮膚と毛髪という表面的な部分を健康にしたりするものであり、③人体への影響が弱いものとなります（Q37参照）。

　化粧品のイメージどおりですが、例えば、髪の毛に使うヘアトニック、シャンプー、肌（皮膚）につける日焼け止め、顔を洗うための洗顔クリーム・化粧石けん、香水も化粧品で、かなり範囲が広いのです。なお、薬用化粧品は化粧品ではなく、医薬部外品になります。紛らわしいのですが、区別してください。

③ 医薬部外品と化粧品を規制する法令は医薬品と同じ！

　医薬部外品と化粧品、この2つの広告を規制する法令等は、Q2で説明した医薬品の広告を規制する法令等と同じです。つまり、薬機法、適正広告基準、ガイドラインの3つがどちらにも適用されることになります。詳しくはChapter5で説明しますが、基本的なルールは医薬品と共通であることをしっかり理解することが大切です。

④ 業界団体の自主基準

　医薬部外品と化粧品についても、業界団体が自主的に作成している基準があります。医薬品と同様に、自主基準だからという理由でルールに違反することは絶対におすすめしません。

　医薬部外品については、医薬品のところでも紹介した「OTC医薬品等の適正広告ガイドライン」（**OTC広告ガイドライン**）が重要です。このガイドラインは医薬部外品のうちの「指定医薬部外品」（Q37参照）を対象にするものとされていますが、適正広告基準とガイド

23

ラインの内容を整理したものなので、他の医薬部外品の広告についても、この内容をしっかりと踏まえると安心です。

　また、医薬部外品のうちの入浴剤[19] のための「浴用剤（医薬部外品）の表示・広告の自主基準」（**浴用剤広告ガイドライン**）[20] も重要です。入浴剤にありがちな広告表現に関するルールが書かれており、量も多くないので、入浴剤の広告に関しては必ず確認する必要があります（Q41参照）。

　次に、化粧品に関しても自主基準があります[21]。もっとも基本的なものとしては、「化粧品等の適正広告ガイドライン」（**化粧品広告ガイドライン**）があり、さらに、最近は広告の中心になっているインターネット広告に関しては、「化粧品等のインターネット上の広告基準」（**化粧品インターネット広告ガイドライン**）と「「**化粧品等のインターネット上の広告基準」に関するＱ＆Ａ集**」があります。

　Chapter5で詳しく説明しますが、化粧品は医薬品と比べても自主基準のなかで特別ルールが多いことが特徴です。化粧品は、テレビ、雑誌、インターネットなど様々な媒体で日々無数の広告がされており、一般の消費者が手に取ることが多い商品です。広告が問題になることが多く、そのようなケースを踏まえて、自主基準は何度もバージョンアップを重ねています。

19）正確には「浴用剤」といいます。
20）日本浴用剤工業会が定めています。
21）日本化粧品工業連合会が定めています。

● 医薬部外品、化粧品の広告でチェックしておきたいルール

法律	・薬機法
法令など	・医薬品等適正広告基準（通称「適正広告基準」） ・医薬品等適正広告基準の解説及び留意事項等について（通称「ガイドライン」） https://www.mhlw.go.jp/file/06-Seisakujouhou-11120000-Iyakushokuhinkyoku/0000179263.pdf
業界自主基準 （医薬部外品）	・OTC医薬品等の適正広告ガイドライン（通称「OTC広告ガイドライン」） https://www.jfsmi.jp/ad_guideline/ ・OTC医薬品の広告に調査情報（効能効果又は安全性を除く）を使用する際の付記項目について[22] https://www.jfsmi.jp/pdf/20220617_1.pdf ・浴用剤（医薬部外品）の表示・広告の自主基準（通称「浴用剤広告ガイドライン」） https://www.pref.miyagi.jp/documents/27912/215364.pdf
業界自主基準 （化粧品）	・化粧品等の適正広告ガイドライン（通称「化粧品広告ガイドライン」） https://www.jcia.org/user/business/advertising/ ・化粧品等のインターネット上の広告基準（通称「化粧品インターネット広告ガイドライン」） ・「化粧品等のインターネット上の広告基準」に関するQ&A集 https://www.jcia.org/user/common/download/business/advertising/JCIA20170713_ADguide_internet.pdf ・化粧品の表示に関する公正競争規約 https://www.cftc.jp/kiyaku/kiyaku01.html

1

ヘルスケアビジネスにかかわる法令の知識

---

22) Q20参照。

Q05 健康食品・サプリメント等を規制する法令やガイドラインは？

食品広告の場合は、医薬品や化粧品とは適用されるルールが違います。
ここでは、健康食品・サプリメント等を扱う人に必要な法令とルールを
詳しく見ていきます。まず、健康食品とは何かについて理解しましょう。

1 健康食品とは？

健康食品と一口でいっても、その種類は様々です。法律のなかで
は、以下の図のように種類が分かれています。

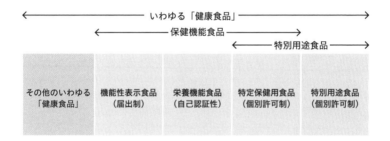

機能性表示食品とは、国の定めるルールに基づいて、事業者が食
品の安全性と機能性に関する科学的根拠などの必要な事項を、販売
前に消費者庁長官に届け出れば、機能性を表示することができる制
度です[23]。

栄養機能食品とは、特定の栄養成分を補給するために利用される
食品で、その栄養成分の機能を表示することができます[24]。

特定保健用食品はいわゆる「トクホ」で、からだの生理学的機能
などに影響を与える保健効能成分（関与成分）を含んでいて、それを
摂取することによって、特定の保健の目的が期待できることを表示

23）食品表示法基準第2第1項第10号。
24）食品衛生法施行規則第5条第1項第1号シ。

（保健の用途の表示）できる食品をいいます。食品ごとに有効性や安全性について国の審査を受け、許可を得なければなりません[25]。

　特別用途食品（特定保健用食品を除く）は、乳児の発育や、妊産婦、授乳婦、えん下困難者、病者などの健康の保持・回復などに適するという特別の用途について表示を行う食品です。消費者庁長官の許可と国の審査を受ける必要があります[26]。

　その他の健康食品は、法律上は何も決まっていないので、普通の食品と同じです。サプリメントについても以上の区分は同様です。健康食品・サプリメントという言葉は、どちらも一般的な呼称に過ぎないため、法律上はすべて食品の一種となります。

❷ 健康食品について規定する法令

　健康食品については、一般の食品と変わらない扱いがされるため、**食品衛生法、食品表示法**に留意する必要があります。また、健康保持増進効果については、**健康増進法**もよく検討しなければなりません。**景表法**など、表示に関する一般的な規制があるのも同じです。

❸ 健康食品についての通達やガイドライン、業界自主基準

　法律に詳しくは書かれていないので、広告をチェックするときには、具体的な表記のOK/NGが記載されている省庁からの通達やガイドラインを、よくチェックする必要があります。特に、消費者庁の出している「健康食品に関する景品表示法及び健康増進法上の留意事項について」や「食品として販売に供する物に関して行う健康保持増進効果等に関する虚偽誇大広告等の禁止及び広告等適正化のための監視指導等に関する指針（ガイドライン）」と同指針の「留意事項」[27]、さらに

25）健康増進法第43条第1項。
26）健康増進法第43条第1項。
27）正式名称は「食品として販売に供する物に関して行う健康保持増進効果等に関する虚偽誇大広告等の禁止及び広告等適正化のための監視指導等に関する指針（ガイドライン）に係る留意事項」

「機能性表示食品に関するガイドライン」[28] は要チェックです。

　業界の自主基準としては「**特定保健用食品の表示に関する公正競争規約**」[29] もあります。基本的には、団体に加盟する事業者に適用される規約ですが、景表法を受けての解釈を具体的に示しているものなので、留意する必要があるでしょう。

● **医薬部外品、化粧品の広告でチェックしておきたいルール**

法律	・食品衛生法 ・食品表示法 ・健康増進法 ・景表法
法令など	・健康食品に関する景品表示法及び健康増進法上の留意事項について（通称「健康食品広告ガイドライン」） https://www.caa.go.jp/policies/policy/representation/extravagant_advertisement/assets/representation_cms213_230131_01.pdf ・食品として販売に供する物に関して行う健康保持増進効果等に関する虚偽誇大広告等の禁止及び広告等適正化のための監視指導等に関する指針（ガイドライン） https://www.caa.go.jp/policies/policy/representation/extravagant_advertisement/pdf/extravagant_advertisement_200331_0003.pdf ・食品として販売に供する物に関して行う健康保持増進効果等に関する虚偽誇大広告等の禁止及び広告等適正化のための監視指導等に関する指針（ガイドライン）に係る留意事項 https://www.caa.go.jp/policies/policy/representation/extravagant_advertisement/pdf/extravagant_advertisement_200331_0005.pdf ・機能性表示食品に対する食品表示等関係法令に基づく事後的規制（事後チェック）の透明性の確保等に関する指針（通称「**機能性表示食品に関するガイドライン**」） https://www.caa.go.jp/policies/policy/food_labeling/about_foods_with_function_claims/pdf/about_foods_with_function_claims_200324_0003.pdf
業界自主基準	・**特定保健用食品の表示に関する公正競争規約** https://www.jhnfa.org/tokuho-kyougikai/kiyaku-1.pdf

---

28) 正式名称は「機能性表示食品に対する食品表示等関係法令に基づく事後的規制（事後チェック）の透明性の確保等に関する指針」
29) 日本健康・栄養食品協会が消費者庁・公正取引委員会の認定を受けて設定しています。

Q06 EC販売において留意する法令・業界ガイドラインは？

商品をEC（インターネット上の取引）で販売したいと考えた場合、どのようなルールに気をつけるべきでしょうか？ ここでは、EC販売を行う上でポイントとなる法令や業界ガイドラインについて見ていきましょう。

① 景品表示法

　　EC販売でまず挙げられるのは、他の製品と同じく景表法です。消費者がよりよい商品やサービスを自分で正しく選択できるようにすることを目的とする法律で、内容は、主に**表示規制**と**景品規制**に分けられます。表示規制はQ9、景品規制はQ10で詳しく説明します。

② 特定商取引法

　　特定商取引法は、訪問販売や通信販売など消費者トラブルが起こりやすい取引について、類型ごとに事業者が守るルールを定めた法律です。EC販売は「通信販売」になるので、この法律のルールを守る必要があります。

　　通信販売に対する規制で中心になるのは、「**広告の表示**」[30]と言われるものと、「**特定申込みを受ける際の表示**」[31]と言われるものになります（そのほかの事項など詳しいルールの内容は、特定商取引法ガイド[32]というサイトに詳しく書かれています）。

（1）広告への表示

　　通信販売は、離れた人同士が売り買いをするので、商品の情報は

1

ヘルスケアビジネスにかかわる法令の知識

30）特定商取引法第11条。
31）特定商取引法第12条の6。
32）https://www.no-trouble.caa.go.jp/what/mailorder/

表示されている広告から買い主に伝わることになりますが、その広告の内容が不十分だったり不明確だったりすると、トラブルの原因になります。そこで、特定商取引法は、下の表の項目を広告に表示することをルールとしています。

1. 販売価格（役務の対価）（送料についても表示が必要）
2. 代金（対価）の支払時期、方法
3. 商品の引渡時期（権利の移転時期、役務の提供時期）
4. 申込みの期間に関する定めがあるときは、その旨及びその内容
5. 契約の申込みの撤回又は解除に関する事項（売買契約に係る返品特約がある場合はその内容を含む。）
6. 事業者の氏名（名称）、住所、電話番号
7. 事業者が法人であって、電子情報処理組織を利用する方法により広告をする場合には、当該事業者の代表者又は通信販売に関する業務の責任者の氏名
8. 事業者が外国法人又は外国に住所を有する個人であって、国内に事務所等を有する場合には、その所在場所及び電話番号
9. 販売価格、送料等以外に購入者等が負担すべき金銭があるときには、その内容及びその額
10. 引き渡された商品が種類又は品質に関して契約の内容に適合しない場合の販売業者の責任についての定めがあるときは、その内容
11. いわゆるソフトウェアに関する取引である場合には、そのソフトウェアの動作環境
12. 契約を2回以上継続して締結する必要があるときは、その旨及び販売条件又は提供条件
13. 商品の販売数量の制限等、特別な販売条件（役務提供条件）があるときは、その内容
14. 請求によりカタログ等を別途送付する場合、それが有料であるときには、その金額

> 15. 電子メールによる商業広告を送る場合には、事業者の電子
>   メールアドレス

（2）特定申込みを受ける際の表示

　EC販売の場合には、買い物カートの確認画面から購入ページに移って決済するなど決まった方法で取引が行われます。買い主が「購入」ボタンをクリックするなど最終的に商品を購入するためのアクションを行う場面で、買い主が購入のために必要な情報を確認できるようにしておく必要があります。具体的には下の表に記載した事項を画面で示さなければならないとされています。

> 1. 分量
> 2. 販売価格（役務の対価）（送料についても表示が必要）
> 3. 代金（対価）の支払時期、方法
> 4. 商品の引渡時期（権利の移転時期、役務の提供時期）
> 5. 申込みの期間に関する定めがあるときは、その旨及びその内容
> 6. 契約の申込みの撤回又は解除に関する事項（売買契約に係る返品特約がある場合はその内容を含む。）

③ 業界の自主基準

　EC販売では、公益社団法人日本通信販売協会（JADMA、ジャドマ）が業界の自主基準として多くのガイドラインを策定しています。その中でも重要なのが「通信販売業における電子商取引のガイドライン」[33] です。

　これは、上で説明した景表法や特定商取引法のルールを踏まえ、表示のルールを具体的に定めています。詳細にというよりは、必要なことを網羅的に定めるものですが、EC販売をするときは確認して、漏れがないように注意が必要です。

33）https://www.jadma.or.jp/abouts/glecommerce/

 広告規制に違反した場合、
どうなるの？

実際に広告規制に違反してしまった場合、どのようなリスクがあるのでしょうか？　法律面からの罰則だけでなく、実務面でも企業にとって損失があります。

❶ 罰則

　法律が定める広告規制に違反すると、薬機法の場合は刑罰が定められています。景表法、食品広告の場合は、措置命令に違反すると刑罰が科されます。つまり、いずれも犯罪になります。軽微な違反ですぐに刑事罰が科せられるケースは多くありませんが、**罰金刑**だけでなく、**懲役刑**も定められていますので、「違法な広告は犯罪」であることを理解しましょう[34]。

❷ 行政処分

　上の刑事罰のほか、違反広告をすると監督官庁による**行政処分**[35]があります。交通違反をすると、罰金のほかに、免許の取り消しがあるのと同じです。行政処分と刑事罰は別の制度なので、どちらも課せられるものです。

（1）措置命令

　措置命令とは、行政庁から、虚偽・誇大広告の中止・同じ行為を繰り返さないための防止策についての公表・公衆衛生上の危険の発生を防止する措置をとることを命令されるということを意味します。

---

34) 景表法の改正により、近い時期に違反広告に刑罰が定められることになりましたので注意が必要です。

35) 景表法の改正により、近い時期に確約手続などの新しい制度が始まります。詳細は、消費者庁のホームページなどを確認してください。

薬機法、景表法、健康増進法のいずれでも定められています。

◉ 措置命令の内容

> ・違反したことを一般の消費者に広く伝えること
> ・再発防止策を練り、実施すること
> ・二度と違反行為を繰り返さないこと

　商品について、真実ではない広告を掲載した場合、広告の取り下げに加え、自社が出した広告が真実ではなかったことを**消費者に対して公表する**よう求められる場合があるのです。

　消費者に、広告に問題のあった商品と認識されることは、消費者が異なる企業の商品を選ぶ理由になり、企業にとって大きな痛手となる可能性があります。

（2）課徴金納付命令

　商品の名称・製造方法・効能・効果・性能に関して、虚偽または誇大な広告をした場合、**課徴金**を支払わなければならない可能性があります。従来は、景表法上だけの制度でしたが、薬機法の改正により、**医薬品等に対しては、より重い金額**が定められました。

	薬機法	景表法
対象期間	違反行為を行っていた期間+6カ月〜3年間	違反行為を行っていた期間+6カ月〜3年間
課徴金額	対象期間中の違反した対象商品の売上の4.5%に相当する金額	対象期間中の違反した対象商品の売上の3%に相当する金額
対象者	全ての人	事業者

（3）行政指導

　違反が軽微な場合などは、監督官庁[36]から、違反を是正するよう

36）規定上は厚生労働省ですが、法令により都道府県知事などに委託される場合もあります。

に指導を受けることがあります。もっとも多く行われているものですが、指導を受けたあとは、広告内容を修正したり、広告を中止し、さらに再発防止策を報告したりするのが一般的です。従えば、それ以上の処分を受けないことが通常ですが、無視したり、従わない場合には、違反な状態を改善するように命じられたり（措置命令）、課徴金納付命令を受けることが多くあります。何度も行政指導を受けている場合は、指導を経ずに、いきなり厳しい処分になることもあります。

（4）薬機法と景表法の関係

薬機法と景表法は趣旨が違うため、規制している内容が異なります。課徴金について、両方の法律に違反して納付命令が出された場合、調整のため減額される可能性もありますが、**2つの法律から罰則を受ける**おそれがあることには、注意が必要です。

③ 法律以外のリスク

違反が話題になりSNS上で炎上してしまうと、該当の商品だけではなく**企業イメージに傷がつく**可能性も考えなくてはいけません。法律上違反は、しかるべき罰則に対応すれば足りますが、一般消費者の間での企業の評判の低下・悪化は、解決の方法が難しく、一度炎上した過去はずっと残り続けることになります。

このように、広告規制に違反した場合、法律的にも実務的にも会社にとって大きなリスクとなります。実際に、誰が広告規制の違反に気をつけるべきなのかは、次のQ8で解説します。

広告規制は、広告主だけでなく
表示者にも適用される？

広告は、商品やサービスの事業者（広告主）だけでなく、制作会社や広告代理店など複数の人によって製作され、配信されます。違法と判断された場合、基本的には広告主が規制の対象となりますが、代理店などにも規制が及ぶケースもあります。

1 景表法の定める広告規制の対象者

　景表法をおさらいすると、第2条第4項には「この法律で「表示」とは、顧客を誘引するための手段として、事業者が自己の供給する商品又は役務の内容又は取引条件その他これらの取引に関する事項について行う広告その他の表示であつて、内閣総理大臣が指定するものをいう。」と定められています。すなわち、商品やサービスを販売している**広告主のみを対象**としていることがわかります。

　自分の商品やサービスの広告をしているわけではない広告代理店は、現状では景表法の規定にはあてはまりません。同様に、アフィリエイト・サービス・プロバイダ（ASP）や、アフィリエイター、インフルエンサーについても、原則としては景表法の規制の対象外となります。

　ただし、広告主と広告代理店などが、**一体となって商品やサービスを提供していると判断される**場合には、景表法の規制の対象となることもあります。例えば、広告代理店が、広告主と提携して商品の販売を行い、さらに宣伝している場合です。

　また、今後は広告代理店やアフィリエイターも罰せられる法改正や、運用の見直しが待っていると言われていますので注視が必要です。

（1）広告代理店等を利用している広告主の責任を認めた事例

　ASP事業者を通じて、自己の商品に係るアフィリエイトサイトの

ヘルスケアビジネスにかかわる法令の知識

表示内容を自ら決定していた広告主に対して、景表法違反に基づく措置命令が発せられた事例があります[37]。このケースでは、事業者は措置命令の取り消しを求めましたが敗訴しています[38]。広告代理店などの表示がイコール広告主の表示であると判断されたため、広告主の責任が問われたものでした。

　また、最近から始まったステルスマーケティング規制では、事業者以外の第三者が行った表示が、事業者の表示（広告）になってしまう場合が定められました（Q24参照）。

（2）広告代理店等を利用した広告の規制が厳しくなる

　最近では、アフィリエイトプログラムやインフルエンサーマーケティングが広く活用され、広告主は、以前よりも低いコストで、より効果的な宣伝ができるようになりました。一方で、一部の広告代理店による行き過ぎた広告も増えています。そこで消費者庁は、**広告代理店等による広告についての規制を強化する方向**に動いています。広告代理店等による不適切広告については、今後、厳しく規制されると考えられます。

　こういった動向をうけ、各事業者団体は、アフィリエイトプログラム等を利用した広告に関する自主基準を策定するなど、業界全体のコンプライアンス向上と消費者保護に努めているところが多く見られます。このような自主基準がある場合にはそれに従うことはもちろん、ない場合でも将来の規制強化に備えて、広告代理店等を利用した宣伝広告において不適切な広告を行わないように社内の体制を構築していくことが重要になります。

❷ 薬機法や健康増進法による広告規制は広告表示者に及ぶ

　景表法の他にも、業態の特徴や具体的な事情に合わせて、個別の

37）https://www.caa.go.jp/notice/entry/023295/
38）東京高判平成20年5月23日（平成19年（行ケ）第55号）。

法令やガイドラインが特有の広告規制を設けています。その多くは、商品の販売者やサービスの提供者を規制の対象としていますので、基本的には広告主が責任を負うことになります。

しかし、業種によっては、広告主に限定せず、広告主以外に対しても広く規制されているものがあります。それが、健康・医療・医薬品等の広告規制です。

（1）いわゆる何人規定とは

現行の法律のなかには、広告規制を定める条文で、広告主か広告代理店等かあるいはそれ以外の人かを全く問わず、全ての人が守らなければならないものが複数あります。

その1つが、薬機法第66条で、「何人も医薬品、医薬部外品、化粧品、医療機器又は再生医療等製品の名称、製造方法、効能、効果又は性能に関して、明示的であると暗示的であるとを問わず、虚偽又は誇大な記事を広告し、記述し、又は流布してはならない」と定めています。同様に、健康増進法第65条第1項は、「何人も」虚偽誇大表示をしてはならないと定めています。

これらの規定は「何人規定」と呼ばれることもあります。「何人も」とは「あらゆる人は」という意味で、医薬品等や健康食品の広告規制違反については、広告主だけでなく、広告代理店等の**広告表示者も当然に責任を負う**ことになります。

（2）何人規定が適用された事例

健康食品通販を行う事業者の従業員、取引先の広告代理店社長ら6人が、未承認医薬品を広告した疑いで逮捕された事例があります。この広告は、第三者の体験談を装った記事風のもので、そのなかには、医薬品の承認を得ていないサプリメントにもかかわらず、医薬品でしか広告表示のできない、疾患への治療効果をうたっていました。この事業者は、広告表示に関して何度も行政からの指導や命令を受けていましたが、違反行為を繰り返したため、警察も逮捕に踏

1 ヘルスケアビジネスにかかわる法令の知識

み切ったと考えられます。事業者の従業員や広告代理店の社長が逮捕されたのは、**薬機法の広告規制が何人規定のためです**。

　数ある広告規制のなかでも医薬品等に関する広告は、命や健康に直結するおそれがあるため、特に厳しく規制されています。広告の際は万全のチェック体制を敷くようにしましょう。

　薬機法・健康増進法に隣接しますが、**医療法も何人規制を設けて**広告を厳しく取り締まっています（Q52参照）。医療法は、医業・歯科医業・助産師の業務そのもの（治療法や施術方法など）や、病院・診療所・助産所に関する広告を対象としています。クリニックや医師、手術の広告を行う場合には、同様に厳しくチェックしましょう。

③ 広告主・広告表示者ともリスクを意識する必要

　広告代理店等による不適切な広告は、インターネットメディアの発達に比例してその数を急激に増し、今や社会問題となっています。閲覧者の健康に直結する医薬品等の広告規制を厳格化した令和3年の薬機法改正を皮切りに、今後も広告秩序を守り、消費者を保護するために、様々な分野で広告規制が厳しくなることが見込まれ、適正な広告を制作・表示することを心がける必要があります。

　広告代理店等としては、広告執筆者への指導教育及び出稿広告の厳格なチェックを行う体制の構築が必要となるでしょうし、広告主としては、まずは広告制作の委託先を再委託先も含めて吟味する必要があります。さらに、制作された広告については、不適切な表示が含まれていないかを細部までチェックしなければなりません。その後の広告運用をも委託する場合には、こまめにパトロールし、委託先に適切な指導を行う必要があるでしょう。

　また、アフィリエイターやインフルエンサーは、医薬品等や食品の広告では、自分も責任を負う可能性があることを正しく理解するだけでなく、万が一、違法広告をしてしまった場合には、広告主や代理店に対して、契約違反として**損害賠償責任を負う可能性がある**ことも意識することが大切です。

Chapter

2

共通して知っておきたい
重要なポイント

Q09 虚偽・誇大広告ってなに？

広告において大切なことは事実を正しく表現することで、「事実ではない広告をしない」ことがもっとも基本的なルールになります。ここでは、事実を正しく伝えない「虚偽広告」「誇大広告」について、法律のルールを確認します。

❶ 虚偽・誇大広告とは

　虚偽広告とは、事実とは異なる内容の広告のことで、**誇大広告**とは、事実よりも大げさな内容の広告のことです。どちらも、消費者が広告内容に触れて感じる印象や認識と、実際の商品やサービスの内容が違っているということで共通します。要するに「ウソの広告」で、法律で当然に禁止されています。ただし、商品やサービスごとに、適用されるルールが異なり、内容も違っています。ここでは、この内容を見ていきましょう。

❷ 景品表示法のルール

　あらゆる商品やサービスの広告のルールになっているのが景表法です。一般的には「虚偽・誇大広告」と言われますが、景表法では、商品やサービスの内容に関する「**優良誤認表示**」と、価格などの取引条件に関する「**有利誤認表示**」に分けて規制がされています（その他にも、誤認されるおそれがある表示が規制されていますが、ここでは割愛します）。

（1）優良誤認表示

　優良誤認表示とは、商品やサービスの内容について、実際の商品やサービス、他の会社の商品やサービスとは異なる広告です。
　このルールのポイントは、「**著しく優良**」な表示をした場合に違法

40

になることです。「著しく」は「とても」「大きく」といった意味なので、少しだけ優良に表示した場合には違法になりません。広告では、実際よりも多少は異なった表現になってしまいがちなことは消費者も理解しているだろう、というのが理由です。

ただし、どこまでいけば「著しく」になるのか、その程度ははっきりしません。消費者が広告を見て、その商品やサービスを**選ぶときに重視するような内容が実際と違っている**ときは、「著しく優良」になる可能性が高いといえます。例えば、以下のような表現が該当します。

✕ **カシミヤ100%** ← 実際は 80%程度

✕ **天然ダイヤ** 実際は人造ダイヤ

✕ **この技術を用いた商品は日本で当社のものだけ**

実際は競争業者も同じ技術を用いた商品を販売していた

（2）有利誤認表示

有利誤認表示とは、事業者が、自己の供給する商品やサービスの価格などの取引するときの条件について、実際の商品やサービス、他の会社の商品やサービスとは異なる広告です。

このルールでも、「**著しく有利**」な表示をした場合に違法になることは同じです。ここでも、どんな場合が「著しく」なのかがポイントになりますが、優良誤認表示と同じように、消費者が広告を見て、その商品やサービスを**選ぶときに重視する条件が実際と違っている**ときは、「著しく有利」になる可能性が高いといえます。

✕ **当選者の100人だけが割安料金で契約できます**

実際は、応募者全員を当選とし、全員に同じ料金で契約させていた

✕ **他社商品の2倍の内容量** ← 実際は、他社と同程度の内容量

❸ 健康増進法のルール

　広告する商品が食品の場合は、景表法のほか、健康増進法のルールも適用されます。健康増進法では、健康保持増進効果等に関する誇大広告を禁止しています。この場合も、景表法と同じく「著しく」となっているので、広告内容と実際の内容が大きく異なっている場合に違反広告になります（Q49参照）。

❹ 薬機法のルール

　広告する商品が医薬品、医薬部外品、化粧品、医療機器、再生医療等製品のときは、景表法のほか、薬機法のルールが適用されます。薬機法では、商品の名称、製造方法、効能・効果・性能に関する虚偽広告、誇大広告を禁止しています。

　薬機法のルールで注意が必要なのは、「著しく」という**制限がなく**、また、明示的な広告（はっきり表示する）だけでなく、**暗示的な広告（はっきり表示しない）も対象**になることです。つまり、大きな違いではなくても、広告の内容と実際の内容が異なっていると、虚偽広告や誇大広告として違法になってしまいますし、はっきり表示せずに暗示する場合でも許されません。

　そのため、他の商品と比べても、医薬品や化粧品などの広告では、事実を正確に表現することが必要になります。

Q10 懸賞・景品等による広告ってどこまでやっていいの？

商品やサービスをプロモーションするときに、より多くの人に商品を買ってもらうため、キャンペーンとしておまけや賞品をつけることがよくあります。そのルールを確認しておきましょう。

1 懸賞、景品ってなに？

「購入社全員にAmazonギフトカードをプレゼント」、「購入してくれた方の中から抽選で商品券が当たる」などのようなキャンペーンは、適切な範囲で行うことは問題ありませんが、やりすぎは認められていません。このルールを決めているのも景表法です。

景表法の対象になるおまけや賞品のことを「景品類」といいます。

> ① 商品やサービスを買ってもらうための手段として、
>
> ② その商品やサービスを買ってもらう取引に伴って提供する
>
> ③ 現金、おまけ、賞品などの経済的な利益

の全てに当てはまる場合は景品類になります[1]。

おまけや賞品の全てが規制の対象ではなく、例えば、街頭でチラシと一緒に配るティッシュペーパーは②に該当しないので、景品類にはなりません。

2 キャンペーンをする時の景表法のルール

景品類に当てはまる場合のルールを見ていきましょう。景表法のルールを一言で言えば、**景品類の金額に限度を設けている**というこ

---

1) 景表法第2条第3項。

とです。たくさんの景品類を提供したほうがキャンペーンの効果は
上がりますが、ここに上限を設定しているということがポイントに
なります。

　景表法では、提供の仕方を①**一般懸賞**、②**共同懸賞**、③**総付景品**
の3パターンに分けています。

（1）一般懸賞・共同懸賞

　①と②は、商品を買ってくれた人の一部に景品類を提供する場合
で、購入者全員にチャンスがないとキャンペーンにならないので、
抽選やゲームなどで決めます。これを「懸賞」といいます。商品を
販売するなどの業者が単独でキャンペーンを行う場合が①の一般懸
賞、商店街や商業ビルのテナントなどの複数の事業者で共通のキャ
ンペーンをする場合が②の共同懸賞です。

　懸賞をする場合の上限額は、それぞれ以下の表のとおりです。

▼ 一般懸賞の場合

懸賞による取引価額	景品類限度額	
	最高額	総額
5,000円未満	取引価額の20倍	懸賞に係る売上予定総額の20%
5,000円以上	10万円	

▼ 共同懸賞の場合

懸賞による取引価額	景品類限度額	
	最高額	総額
区別なし	30万円	懸賞に係る売上予定総額の3%

　「**取引価額**」というのは、1回の取引の金額のことです。「**売上予
定総額**」というのは、キャンペーンで予想される売上の総額になり
ます。少し複雑なので、例に沿って説明します。

　例えば、あなたがお店を経営しているとして、1回の来店で1万円

以上購入してくれた人を対象に、抽選で商品券をプレゼントする企画を立てるとします。この場合はあなた一人でやるので一般懸賞になり、取引価額は1万円なので、プレゼントの最高額は10万円となります。次に、キャンペーン予算が100万円あるとすると、これを売上予定総額の20％に収めることが必要になりますので、売上予定総額は500万円となります。もし、お店の1日の売上予想が50万円とすると、10日間で上限に達することになりますので、キャンペーン期間も10日間になります。

なお、よく「キャンペーンは予定よりも早く終了することがあります」と書いてあるのは、予定よりも早く売上予定総額の20％に達してしまうことを想定したものです。景表法のルールはこんなところにも表れています。

（2）総付景品

③の総付景品というのは、懸賞ではない景品類全てのことをいいます。買ってくれた人**全員に提供する**場合や、**先着順で提供する**場合もこれにあたります。総付景品の場合も上限額がありますが、懸賞よりも厳しく、上限が低くなっている代わりに、売上予定総額は考えなくてもよいことになっています。

○ 総付景品の場合

取引価額	景品類の最高額
1,000円未満	200円
1,000円以上	取引価額の10分の2

先ほどのお店の例で考えると、景品類は2千円が上限になりますが、予算のある限りキャンペーンを続けることができます。

③ 医薬品などに景品類を提供する場合の注意

　景表法は医薬品や医薬部外品、化粧品、医療機器にも適用される
ルールですし、ガイドラインでも、景表法の規定に違反しない限り
景品類の提供はできるとされています。ただし、派手にキャンペー
ンをやってしまうと「**過剰消費、乱用助長を促すおそれ**」に該当し
て、違反になります。例えば、「自社の医薬品（単価500円）を1万
円以上購入したら、化粧品をプレゼントします」というような企画
の場合、医薬品を1万円以上（20個以上）購入させることになるの
で、過剰消費（大量購入）を促すとして違反になる可能性が高くな
ります。

　また、**医薬品を景品類にすること**は、ぬり薬のような外用剤など
の家庭薬を見本にする場合を除き、**禁止されています**。「医薬品をプ
レゼント」はNGです。その他、過去にあった例で医薬品のパッケー
ジなどと引換えに医薬品を渡す場合も同じです。ただ、このルール
は医薬品に限定されていますので、その他の**医薬部外品や化粧品な
どは景品類にできます**。

Q11 金額の表示で気をつける ことは？

> どんなものを売るにあたっても金額の記載は必要です。金額の表示をするときには、基本的には嘘をつかない、ということが大事です。気をつけなければならないことをいろいろなパターンで確認していきましょう。

1 1つの価格を表示する場合

　金額を表示するときに大事なのは、商品の**正確な価格**を表示すること、実際に支払うことになる**総額**を正確に表示すること、その価格になる**条件**を正確に表示することです。

　具体的には、以下のような表示は有利誤認表示となり違法なので気をつけましょう。

① 実際の販売価格より安い価格を販売価格として表示する

✕　希望小売価格200円→特選価格 ◀ 実際の金額は1個あたり250円

◯　1個あたり250円

② 通常他の商品・サービスと合わせて一体的に販売されている商品について、そのことを明示しないで商品の販売価格だけ表示する

　例えば、医療機器の販売価格のみ表示し、実際には設置料金などが必要で表示された価格よりも高くなる場合です。実際に支払うことになる総額を正確に表示しましょう。

✕　販売価格150,000円 ◀ 実際には設置料金などが必要だった

○ 販売価格150,000円　※別途設置費用が必要となります。

③ 表示された販売価格が適用されるには条件が必要な場合に、その条件を表示しない

　例えば、旧バージョンを持っていない人にとって、表示された価格よりも高い金額になる場合です。その価格になる条件を正確に表示しましょう。

× 新バージョンソフト：特別価格5,000円

> 実際には旧バージョンを持っていない人は通常価格7,000円

○ 新バージョンソフト：旧バージョン所有の方は特別価格5,000円。それ以外は通常価格7,000円となります。

② 2つの価格を表示して、割引を強調する場合

　通常価格からセール価格にしたことを表示して、割引額が大きく、お得な商品であることをアピールしたい場合があると思います。よく見る表示ですが、これにも、法律のルールがあります。

　最近相当期間価格と言って、要するに、大昔の価格やある時期だけ設定した価格に比べて安い、という表示をすることは法律違反になります。具体的には、以下のルールがあります。

① 商品が8週間以上販売されている場合

　商品が直近8週間以上販売されている場合、その期間の半分以上の間、販売されていた価格を、通常価格として表示できます。

② 欠品期間があった場合や販売開始時期が最近である場合

　欠品期間があり販売期間が途切れている場合や、商品の販売開始時期が最近である場合には、商品が合計で2週間以上8週間未満の期

間販売されていることを条件に、その期間の**半分以上の間、販売**されていた価格を、通常価格として表示できます。

③ 過去の販売価格の販売期間が通算して 2 週間未満の場合

過去の販売価格の販売期間が通算して**2週間未満**の場合や、過去の販売価格が最近2週間以内の価格でない場合は、2つの価格を比較し表示することは**できません**。

③ 将来の販売価格と比べた表示

将来の販売価格を表示しても、買い手に対してお得だと思わせる効果があります。例えば、「●月●日まで1,500円、それ以降は3,000円」のような表示です。この場合は、以下のことを守りましょう。

---

① 将来販売する価格の根拠になる資料やデータがある場合にだけ
行うこと

② 将来の販売価格で販売できなくなる特別の事情があったときには、この表示をすぐに消して、将来その価格で販売することができなくなったことをきちんと表示していること

---

②の特別の事情が認められる場合は限られていて、自分の判断でセールを延長することなどは認められません。

また、セール期間のあと、一度、通常販売価格にして、またセール価格に戻す、といったことをする場合には、**通常販売価格での販売期間を2週間以上は継続**するようにしてください。1日だけ通常販売価格にしてセール価格に戻すなどしてしまうと、有利誤認表示として法律違反になる可能性があります。

④ 希望小売価格と比べた表示

メーカー希望小売価格と比較して表示する場合も、以下のルールを守りましょう。

> ① 希望小売価格は、メーカーが示しているものを正確に表示する
> ② 希望小売価格をメーカーに頼んで設定させたり、自分だけに示
> された金額を希望小売価格として表示したりしない

①は、メーカーが設定した金額よりも高い金額を表示したり、セット売りを想定していないのに、セット金額が希望小売価格であるように表示したりすることは、法律違反になります。

❺ 競業事業者との比較表示

「他店よりも…」のように競業事業者との価格比較をすること自体は、よく見られる表示ですが、以下の事項に注意して行いましょう。

> ・最近時の市価を正確に反映する
> ・商品の販売地域が同じライバル企業との間で比較した表示にする
> ・新品の価格と中古品の価格を比較する、新製品と旧製品の値段
> 　を比較するなどはしない。比較対象の製品は同じものにする

❻ 割引率の表示や、安さを強調する表示

割引率の表示や、安さを強調する表示もよく行われますが、以下の事項に注意して行いましょう。

> ・一部商品のみ割引の場合には、一部商品のみ適用であることを
> 　きちんと表示する
> ・「工場渡し価格」や「製造業者倒産品処分」などの表示は、事実
> 　のときだけ行う。「全品工場渡し価格」などと表示したものの、
> 　一部しか事実とあっていない場合なども法律違反になる
> ・「大幅値下げ」「他店よりも安い」「チラシ掲載価格よりもさらに
> 　10％オフ」などの表示も、事実とあっている場合のみ許される

Q12 製品名の表示ってなにか規制が あるの？

製品の販売や広告を実施しようとする場合、その製品名は、消費者に製品を知ってもらうためにも当然必要となりますが、その表示については何か規制があるのでしょうか？　ここでは、製品名を表示するときに気をつけるべきポイントについて見ていきましょう。

① 承認や認証、届出を行った名称 または一般的名称以外は使用できない

　　製品名を表示するときには、買い手が他の製品と誤解することがないようにしなければなりません。特に、薬機法の適用を受ける医薬品や医療機器は、誤解させない必要がとても高いため、対象の製品について、薬機法上の製造販売承認や認証、届出などの手続を行っている場合には、基本的に認証や届出をした製品名、一般的名称以外の名称を使用することは NG となります。

② 略称は一定の条件下であれば使用可能

　　表示スペースなどの関係から、製品の名称を略称で示すこと（ブランド製品のブランド名など販売名の共通部分のみを使用するなど）はできるのでしょうか？

　　上述のように法律の目的は買い手の誤解が起こらないようにするためなので、以下の①②の条件を守るのであれば、略称を使用することができます。

> ① 広告の前後の関係などから総合的に見たときに、同一性を誤認させるおそれがないこと
>
> ② 広告中に販売名を付記・付言するなどして明示していること

❸ 愛称も一定の条件下であれば使用可能

製品の愛称で広告を行うことはできるのでしょうか？　これについても、やはり買い手の誤解を防ぐ点を重視して一定の制限があります。

特に誤解を生じさせない必要がある**医薬品と再生医療等製品**については、**愛称は使用できません。**

一方で、**医薬部外品・医療機器**については、次の**①から③の条件**、**化粧品**については**①と②の条件**を守るのであれば、愛称を使用することができます。

---

① 広告の前後の関係などから総合的にみた時に、同一性を誤認させるおそれがないこと
② 愛称が販売名に使用することができないもの[2] でないこと
③ 広告中に販売名を付記・付言するなどして明示していること

---

❹ 名称の仮名やふりがなも一定条件下であれば使用可能

仮名、ふりがなについては、同一性を誤認させるおそれがない場合に、漢字にふりがなをふる、アルファベットを併記することは可能とされています。

他方で、以下の場合は、別の製品だと誤解を招く可能性があるので、NGとなります。

---

2) 既にある他社の製品名や、虚偽・誇大な名称、買い手に誤解を与えるような名称、ローマ字のみの名称、製品の特定が困難な名称などがあります。

・漢字で承認等を受けたものの場合

　名称の一部または全部を仮名、アルファベットで置き換えること

・仮名、アルファベットで承認等を受けたものの場合

　名称の一部または全部を漢字で置き換えること

● 例1：漢字で「猛虎葛根湯」と承認を受けた製品

○　猛虎葛根湯（もうこかっこんとう）　← 仮名の併記

○　猛虎葛根湯　← ふりがな
（もうこ かっこんとう）

○　猛虎葛根湯（MOUKOKAKKONTO）　← アルファベットを併記

×　もうこかっこんとう　← 仮名で置換

×　MOUKOKAKKONTO　← アルファベットで置換

● 例2：仮名で「トラマスク」と承認を受けた製品

×　虎マスク　← 一部を漢字で置換

● 例3：アルファベットで「TIGERSEAT」と承認を受けた製品

×　大我亜シート　← 一部を漢字とカタカナで置換

2

共通して知っておきたい重要なポイント

Q13 製品の製造方法や技術研究を宣伝したい！

医薬品等の広告で、製品の優秀さや安全性をアピールするために、どのように製造しているかを表現したいこともあります。ここでは、製品の製造方法を表現するときのポイントを確認しましょう。

❶ 実際の製造方法と異なる表現は虚偽広告になる

製造方法も正しく表現することが基本です。薬機法では、虚偽・誇大な表示が禁止されています。製品の製造方法や、技術に関する研究などについて、実際の製造方法や研究と異なる表現をすることも虚偽広告になります。

❷ 優秀性を誤認させる表現は NG

実際の製造方法より優秀であるように思わせる表現は、消費者に事実に反する認識を与えてしまうことになるのでNGです。

✕ 100年守り続けた伝統の工法で ← 実際には100年守り続けた工法ではなかった

❸ 最大級の表現は NG

製造方法や技術について、例えば、「最高の」「日本一の」といった修飾語をつけることは、**最大級の表現**になります。しかし、本当に「最高」かどうか、「日本一」かどうかを証明することは通常は不可能で、事実ではない表現になる可能性が高いため、NGとなります。

✕ 最高の技術によってつくられた
✕ 日本一の製造工場で生まれました

❹ 特許の記載はできない

独自の製造方法の特許を取得することは一般的に行われていますが、特許に関する記載をすることは、特許庁という公的な機関がお墨付きを与えるように見えるので、「**医薬関係者等の推薦**」に該当するため禁止されています。また、実際には取得していなければ虚偽表現にもなり、大げさに記載すると誇大表現にもなります。

> ✕ **特許取得の製法**
> ✕ **特許技術によるので信頼できます**

権利侵害をされないための注意喚起の表現は認められますが、広告とは分けて記載する必要があります。広告のなかに特許の記載をすることはできません。媒体によっては、明らかに広告部分とは別に併記できる場合もあり得ますが、実際上は難しいケースが大半でしょう。ECサイトでは「別ドメイン」かつ「相互参照により一体として見られる場合[3]ではない」ことが条件になるでしょう。

❺ 製造部門、品質管理部門、研究部門等の記載はできる

会社の製造部門や品質管理部門に触れ、基準をクリアした体制であることをアピールする[4]ことは、「医薬関係者等の推薦」には該当しませんので記載できます。ただし、事実を正確に記載することが必要で、優秀性を誇大に表現したり、他社名や他社製品と比較したりすることはできません。

2

共通して知っておきたい重要なポイント

---

3) 複数のサイトを見たときに、その全体を一体として1つの広告とみなされること。
4) 例えば、QMS（Quality Management System）省令（「医療機器及び体外診断用医薬品の製造管理及び品質管理に関する省令」）、QMS体制省令（「医療機器又は体外診断用医薬品の製造管理又は品質管理に係る業務を行う体制の基準に関する省令」）の遵守など。

⑥ 研究内容の記載は可能だが、大学との共同研究の表示はNG

　製品の製造技術に関連して研究内容を表現することは、事実を正確に、強調せずに記載することは可能とされています。

> ○　**本製品の技術は●●に関する研究をベースにしています**

　ただし、医療機器適正広告ガイドで、**大学との共同研究であることを記載することを禁止**しています。特定の大学名を記載するのが「医薬関係者等の推薦」にあたるためです。医薬品や医薬部外品、化粧品の業界基準には、このことをはっきり定めたルールはありませんが、医療機器と同様に判断される可能性は高いので、研究内容に関する記載だけにすることが望ましいでしょう。

> ×　**本製品は●●大学との共同研究で生まれました**

Q14 良質な原産地・製造地、メーカーのことを記載したい！

医薬品等の広告では、品質のよい国で採れた材料を使用していること、海外で製造された製品を輸入して販売すること、信頼できるメーカーが製造していることなど、原料の原産地や製品を製造している場所（国、企業など）の情報を消費者に伝える場面があります。このような場所を広告するときのルールも定められています。

❶ 最初に確認すること

医薬品等は、原材料を加工することで製品になります。原材料が採れる場所と、加工して製品にする場所は異なりますので、広告でアピールするのが**原材料か製品か**を、まずはしっかり区別します。

次に、「製造」という言葉の範囲が広いことに注意しましょう。医薬品等の製造では、複数の製造業者が関わることも珍しくありません。薬機法では「包装」「ラベルを貼る」「出荷前に保管する」といった製品自体の加工をしていない工程も広く「製造」とされています。製造場所をアピールするときは、**製造工程のどの部分なのか**もしっかり確認しましょう。

❷ 製品の原産地・製造地

製品の製造地は、例えば「日本製」「ドイツ製」のように、特定の国名に続けて「…製」と表示します。このように表現するときは、「最後に製品として使用される状態」になったところが製造された場所になります。広告する場合の「製造」の範囲は、薬機法の「製造」の範囲よりも狭いことがポイントです。

ラベルが貼られた、梱包された、出荷前に保管されたといった**製品として使用されるのに無関係の場所**は、原産国や製造国として表示できません。逆に言えば、ラベルを貼ったり、梱包したり、出荷

前に最後に保管された場所が別の場所のときも、製品として使用される状態になった場所を表示できます。

　例えば、ドイツで製品として使用される状態になったものを日本に輸入する場合は、その後、日本で日本語のラベルを貼ったり、日本語の箱に梱包したりしても、「ドイツ製」と表現できます。しかし、日本で製品として使用される状態になったものをドイツにいったん輸送し、ドイツでラベルを貼ったり、梱包したり、保管したような場合は「ドイツ製」と表示できません。

　製品によっては、バルク単位で輸入され、日本で小分けされる場合もあります。このときも、ドイツで製品として使用される状態になっているため「ドイツ製」と表現できます。

　このルールは、「…製」という表現のほかに、「原産国…」「原産地…」「製造国…」「MADE IN …」などの表現をする場合も同じです。

③ 日本製であることを表示しなければいけない場合

　日本の国産品にもかかわらず、広告全体を見た時に、消費者に原産国を**海外だと誤解させる場合**があります。例えば、外国の国名や国旗などが表示されていたり、事業者やデザイナーが外国であったり、広告のなかに多くの外国語が記載されている場合です。

　このようなときは、「日本製」「MADE IN JAPAN」などと、**日本製であることを表示**しなければいけません。

④ 原料の原産地は正確に表示する

　次に、原材料の原産地を表示する場合は、製品とは異なり少し複雑です。例えば、医療機器の材料に「合成繊維」が使用されているとしましょう。合成繊維は「合成樹脂」から紡いでつくられ、合成樹脂は「ポリマー」に添加剤を加えてつくられ、ポリマーはもともと「石油」からつくられます。このように「原材料」も、様々な工程を経ています。

> 石油→ポリマー→合成樹脂→合成繊維

　この場合の表示については、実は製品とは異なり、特別なルールはありません。景表法のルールどおりに虚偽や誇大な表現は禁止されます。考え方としては、原材料として表示するもの、例えば「合成繊維」と表示するなら、最後に「合成繊維」という**物になった場所を表示する**のが正確な表現になると思われます。日本で「合成繊維」という物になったのであれば、もともとの「石油」がアメリカで採掘されたものであっても、「原材料合成繊維の原産国：アメリカ」とは表現できません。

⑤ 製品を製造したメーカーの情報

　製造に関する表示については、どのような会社が製造したのかということもあります。長年にわたって医薬品等を製造してきたメーカーにはそれだけの実績があります。広告でも、事実に限りますが、メーカー自体の**歴史などを表現する**ことができます。

　ただし、長い歴史のあるメーカーが製造していることを理由に、製品自体に効能効果があることや、製品自体が安全であることをアピールすることはできません。また、他のメーカーとの比較をすることもできません。

○ この製品は、創業70年の歴史があるメーカーによって製造されています

× この製品は、創業70年の歴史があるメーカーによって製造されていますので、とても安心です ◀━ 安全性の保証

× この製品は、創業70年の歴史があるメーカーによって製造されていますので、効き目が抜群です ◀━ 効能効果の保証

× この製品は、創業70年の歴史があるメーカーによって製造されており、A社の製品とは違います ◀━ 他社の誹謗

2

共通して知っておきたい重要なポイント

Q15 効能効果・安全性の保証表現ってなに？

効能効果とは医薬品などの効き目のこと、安全性とは副作用が少ないといった弊害がないことです。これらを保証する表現、つまり、効果がありそう、副作用がなさそうと思わせる表現には様々なルールがあります。

① 効能効果ってなに？

　商品（サービスも同じです）を広告するとき、商品をより多くの人に手に取ってもらい、他の商品よりも自社商品を購入してもらうために、「自社の商品にはこんな魅力があって、こんなことが期待できます」と表現するのは一般的です。このような、商品の効き目を「効能効果」といいます（医療機器では「性能」ということも一般的です）。法律やガイドラインでその商品に認められている効能・効果を事実として記載することはOKです。

　しかし、このような「商品の魅力」のなかには、認められない表現があります。例えば、以下のような表現は、世の中の広告によく見られる表現ですが、実は、いずれも薬機法に違反しています。

① 医薬品ではないのに、病気の治療や予防を目的とする表現

× ガンに効く
× 高血圧の改善
× 生活習慣病の予防　など

② 医薬品ではないのに、体の機能の一般的増強、増進を目的とする表現

× 疲労回復
× 体力増強

× 老化防止

× 新陳代謝を高める

× 風邪を引きにくくする　など

③ 化粧品について、認められている56個（Q39参照）以外の表現をする

× シミが消える

× 美白になる

× アンチエイジング　など

2　安全性ってなに？

　医薬品、医薬部外品、医療機器、化粧品などは、人体への効果が期待できることから、認められた商品です。ただし、その反面、副作用もあります。特に、効き目が強いものほど、副作用の可能性も高くなります。そして、このような**副作用や誤作動などの不具合が生じづらいこと**を「**安全性**」といいます。事実としての安全性を適切に記載するのはOKです。

3　保証表現ってなに？

　商品には、それぞれ特徴としての効能効果・安全性などがあり、販売促進のためにアピールするのは当然です。しかし、認められていない効能効果・安全性などを表現することは禁止されています。

　また、認められている効能・効果・安全性であっても、それを「**保証**」**する表現は禁止**されています。保証する表現とは、消費者から見たときに「この製品には効能効果がある」「この製品は安全だ」と心理的に思わせる表現のことです。病気の原因、状態、性別、年齢等が一人一人異なる以上、全ての人に同様の効能効果が確実に得られて、安全であることは考えられないからです。

　明確に保証するだけでなく、抽象的に読み手に**ほのめかすような表現も禁止**されているため、注意が必要です。効能効果・安全性の

保証とみなされる表現には、様々なものがあります。

✕ 歴史的な表現

✕ 臨床データなどの例示

✕ 図面、写真等の使用

✕ 使用経験、体験談

✕ 身体への浸透シーン・疾病部分の炎症等が消えるシーン

✕ 「世界●●カ国で使用されている」旨の表現

✕ OTC医薬品における「おだやか」「やさしい」等の表現

✕ 効能効果に関する生薬や成分を説明するサイトの設置・
誘導

　具体的に、どんな保証表現をしてはいけないのかは、Chapter3以降で製品分類ごとに詳しく解説します。

Q16 口コミ・ユーザーの声を 載せたい！

消費者が自分から投稿する口コミは、通常、「広告」には該当しませんが、事業者が自ら口コミを記載したり、口コミの掲載を誰かに依頼したり、消費者による口コミをピックアップして広告に掲載したりする場合は、広告になるので広告規制の対象となります。

❶ 口コミとは？

　口コミとは、人物、企業、商品・サービス等に関する評判や噂のことをいいます。様々なウェブサイトに掲載されており、以下のようなケースがあります。

> ① 口コミ情報の交換を主な目的とするもの
> ② 旅行情報、グルメ情報、商品情報等を掲載するサイトが、サービスの一環として、旅館、飲食店、商品等に関する口コミ情報を交換するサービスを提供するもの
> ③ ブログや動画投稿サイト等により、インフルエンサーやアフィリエイターが、「おすすめ商品」などと題して紹介するもの

　これらは、景表法のガイドラインでは、「口コミサイト」として整理されています。

　口コミは本来、そのお店を利用したり、商品を購入したりした消費者が、自身の体験を他の消費者に共有しあうことで、消費者全体がよりよい選択を行うことを可能にする、というものです。通常、広告では商品について悪い情報を伝えることはありませんが、口コミでは厳しい意見が掲載されることもあります。

　そのため、広告よりも口コミの内容のほうが信頼できると考える人が多く、消費者の行動に強い影響力を与えています。そこで、口

コミを利用した広告も増えています。

このような口コミ広告は広告効果がとても高い一方で、消費者に誤解を与える可能性が高いため、厳しいルールがあります。

❷ 口コミと景表法のルール

口コミ広告をする場合に気をつけなければいけないことを見ていきましょう。まずは、景表法違反になる場合です。

（1）優良誤認表示や有利誤認表示を含む口コミ

典型的なものは、実際の商品やサービスよりもかなりよい内容であるという印象を与える口コミ表示で、**優良誤認表示**になります。また、不適切な価格の口コミ表示は**有利誤認表示**になります。

✕ 「黒毛和牛おいしい！」 ◀ 実際には黒毛和牛を使っていない

✕ 「この商品とてもよかったです。しかも今なら、通常の半額で手に入っちゃいますから、この機会を逃さない手はないですよ！」 ◀ 実際には割引の事実はない

（2）ステルスマーケティング

ステルスマーケティングとは、本当は広告なのに、広告や宣伝だと気づかれないように商品を宣伝することをいいます。具体的には、事業者自身が消費者を装って口コミ投稿を行ったり、消費者やインフルエンサーに依頼して、広告であることを隠してよい口コミを投稿してもらったりするケースがこれにあたります。

このような広告は、消費者には広告だとわからないこと自体が問題なので、つい最近始まったルールにより違法になります。わかりやすく「PR」などと記載して、広告であることがわかるようにすることが大切です（Q24参照）。

（3）競合他社を批判する口コミ投稿

　　事業者自身の評判を上げる方法として、ライバル企業の評判を下げることも考えられるところです。

　　しかし、口コミの内容に虚偽が含まれていれば、**信用棄損罪**[5]等の刑事罰が科されるおそれや、**信用棄損行為**[6]（民事責任）になるおそれがあり、決して行わないようにしましょう。

（4）ランキング形式等の口コミサイトの順位・スコア操作

　　もともとは消費者の口コミのみの投稿によって形成されていた口コミサイトに、事業者自ら、または、事業者が依頼した者がよい口コミや最大評価を投稿することで、ランキングの順位や**平均評価スコアを上げること**は、景表法に抵触するおそれがあります。仮に、投稿内容の1つ1つに景表法上の問題がない場合でも、全体を見れば、消費者は優良なものと誤認するおそれがあるからです。

（5）よい口コミのピックアップ

　　事業者が自分の広告に、消費者からの高評価の口コミをピックアップして、お客様の声として表示することはどうでしょうか？　この場合、口コミそれ自体は広告ではなくても、その口コミも含めて全体が広告になります。**表示した口コミに、優良誤認表示や有利誤認表示が含まれている**場合には、景表法上の問題が生じます。

　　口コミの投稿者に許可を得ずに広告へ掲載した場合は、著作権法に抵触する可能性もあります。投稿者との間でトラブルが生じるおそれがありますから、必ず事前に許諾を得るようにしましょう。

　　存在しない口コミを創作し、あたかも実際に投稿された口コミのように表示することも、優良誤認表示となるおそれがあります。

---

5)　刑法第233条前段。
6)　不正競争防止法第2条第1項第21号。

③ 口コミと医療法、薬機法のルール

　これまで見てきたとおり、口コミそれ自体を広告に用いることが禁止されているわけではありません。消費者の主観的な評価は、不当な表示さえ含んでいなければ、事業者にとっても、消費者にとっても有益なものといえるためです。

　もっとも、これが医薬品等や医療機関の広告となると、話は変わります。医療は高度な専門性を有する分野で、患者の命や健康に直結するため、薬機法や医療法において非常に厳しい広告ルールがあります。

（1）医薬品等の広告

　医薬品等の広告で口コミを使うときは「使用体験談」になるので、「使用方法」と「使用感」に制限されています。

　「使用方法」は、医薬品や医療機器の使い方に関する事項です。例えば「服用がしやすいです」、「操作手順が少ないので、迷いにくいです」といったものです。一方の「使用感」も、効能効果や安全性とは無関係なものです。「容器が軽く、持ち運びが楽ちんです」「コンパクトなので収納場所に困りません」「デザインが可愛い」などです。「使用感」は間違って理解されているケースが多いので、詳細はQ45を参照してください。

　また、医薬品等の広告では、以下も必要な条件になります。

・事実であること

・使用者の体験に基づくこと

・内容が自発的なものであること

・過度な表現ではないこと

◉ 医薬品

○　「液状なので飲みやすかったです」

✕　「液状でぐいぐいいけるほど飲みやすいです」

　　　　　　　過度な表現

◉ 医療機器

○　「使用方法が簡単なので不器用な私の味方」
○　「使いやすいので忙しい私にピッタリ、助かっています」

✕　「とても効果がありました」 ◀── 効能効果の表現
✕　「使用方法が簡単すぎて、負担は全くないです」

　　　　　　　　　　　過度な表現

◉ 医薬部外品

○　「しっとりした使い心地が私の好みに合っています」
○　「さっぱりとした感触が私にピッタリです」
○　「苦くないところが好きです」

✕　「体の不調がたちどころによくなりました」 ──── 効能効果の表現

（2）医療機関の広告

　医療機関の広告では、医療機関に来てもらうことを目的に、治療等の内容や効果について、患者が自ら体験したことや家族が患者から聞いたことなど、**主観的な体験談（口コミ）を広告に使用すること**は禁止されています。

4 商品説明

　口コミのような形式でも、内容が商品の説明であれば、利用者の使用体験に基づくものではないので、問題ありません。ただ、使用体験との違いがわかりにくいので、以下の例で確認してください。

2

共通して知っておきたい重要なポイント

○ このおくすりは、お腹の調子をよくしてくれるそうです

○ この機器は、花粉を防いでくれるそうです

○ この製品は、お肌の汚れを綺麗にしてくれるそうです

× このおくすりを飲んだら、お腹の調子がよくなりました

× この機器を使ったところ、花粉を防いでくれました

× この製品を使ったところ、お肌の汚れが綺麗になりました

⑤ 注意事項

（1）説明文・注記は勘案されない

　よく目にするものですが、「＊」印等により説明文を付記したり、「個人の感想です」などと断り書きを入れたりすることがあります。しかし、違法かどうかを判断する際に**説明書きはないものとされます**。説明文を付記しても許されないことには注意が必要です。

（2）文章中の「口コミ」も同じ

　口コミ広告かどうかは、文章の中の一部分であっても同じです。「お客様の声」のように明示しなくても、内容が口コミであれば審査の対象になるので注意してください。

× 「傷口が綺麗になりました」というような声が続々と届いています ← 傷薬において効果効能の表示

× 「乾燥が気にならなくなった！＊」　＊お客様のご意見のひとつです ← 保湿製品において効果効能の表示

（3）「実感」というワードの制限

　使用者の感想を示す表現として、「実感」という言葉があります。ただ、誤解を招きやすい表現なので、以下の場合には使用は禁止されています。

> ✕ キャッチコピーなどの強調表現
> ✕ 効能効果の保証的な「実感」表現
> ✕ 安全性に関する「実感」表現

⑥ その他の商品と口コミ広告

（1）美容健康家電

　美容健康家電は、医療機器ではないため（Q30参照）、適用される法令は薬機法ではなく景表法になります。もっとも、医療機器に隣接する性能を有する場合が多く、広告の内容によっては医療機器だと誤認させる広告として、薬機法の未承認医療機器の広告規制に抵触してしまうおそれもあります。

　こういった事情を踏まえ、一般社団法人日本ホームヘルス機器協会は、自主基準として**医療機器と同等の規制**を設けています。美容・健康関連機器についても、上記の医薬品等の口コミ規制に沿って適切な広告を行いましょう。

（2）健康食品・サプリメント

　健康食品やサプリメントについては、基本的に景表法の規制に従います。ただし、健康増進法は、健康食品についての上乗せ規定として、健康保持増進効果等について「著しく事実に相違する表示をし、又は著しく人を誤認させるような表示をしてはならない」と定めています[7]。景表法上で優良誤認となる口コミを表示した場合、**健康増進法上の広告規制にも違反**することになります。

　なお、こちらの規定は医療機関や医薬品等の広告と同様に「何人も」とされているため、販売事業者以外の者も規制や罰則の対象となります（Q8参照）。

---

7)　健康増進法第65条第1項。

医師や専門家の推薦を
載せたい！

> 医師などの専門家が推薦しているような広告はよく見られます。このような広告は、推薦対象の物や内容によっては、薬機法や医薬品等適正広告基準違反になってしまいます。それぞれ確認していきましょう。

① 医薬品については、専門家の保証・推薦は NG

　医薬品については、医師、歯科医師、薬剤師などの専門家、大学や研究機関、公的な機関などの専門家がその効果などを「保証」する広告は**違法**です[8]。保証まではいかない「推薦」という形であっても医療関係者や行政庁等の幅広い者が**推薦することは禁止**されています[9]。

　また、医薬品であるので、薬事承認を受けているのが通常ですが、薬事承認を受けている商品であることを記載することも、厚生労働省という行政庁の公認を受けている表示となってしまうため、NGです。

　では医師をイメージさせる**白衣を着た従業員**はどうでしょう。医薬品の広告で、白衣を着た従業員が広告のなかに「登場」するだけであれば、推薦には該当しないとされています。ただし、この場合は従業員であることがわかるように説明もつけ加える必要があります。

　また、薬剤師に相談するシーンなども広告としてあり得るかと思いますが、このような表現自体は、医薬品について薬剤師への相談が大切なことを適切に情報提供するものとも考えられていて、問題

---

8)　薬機法66条第2項。
9)　医薬品等適正広告基準第4の10。厳密にいうと、「公衆衛生の維持増進のため公務所またはこれに準ずるものが指定等をしている事実を広告することが必要な場合等特別な場合はこの限りでない」という例外が定められていますが、戦後、政策として殺虫剤の散布が行われたときに認められただけで、その他に例外となるケースはありません。

ないとされています。ただし、「推薦しているような表現」にはならないように気をつけましょう。

② 医療機器についても、専門家の保証・推薦はNG

医療機器についても、医薬品と同様に、専門家による保証・推薦はNGです[10]。

また、令和4年に改正された医療機器適正広告ガイドで、オピニオンリーダーである医療関係者の肖像写真を強調することは、その人が特定の医療機器を推薦・保証しているような誤解を招く恐れがあるので、医療機器の広告としてふさわしくない、とされました。

それ以前は、医療関係者の肖像画像を載せても、効能効果・安全性を保障しなければよい、という考え方もありました。ガイドラインに明示されたため、「強調していない」「オピニオンリーダーではない」といったロジックで掲載することは、指摘を受ける可能性が高く、基本的に避けた方がよいと思います。

③ 化粧品についても、専門家の保証・推薦はNG

化粧品についても、薬機法の規制を受けます。医薬品・医療機器と同様に、専門家による保証・推薦はNGです。美容ライター、美容家などのインフルエンサーの推薦は、直ちに違反になりませんが、その人の影響力が大きい場合にはNGな旨がガイドラインで示されており、これにも気をつけなければなりません。

また、医師が監修したいわゆる「ドクターズコスメ」については、現時点では明確に規制されていませんが、医師の監修という表現は「保証」の意味と受け取る消費者が多く、医療機器では大学との共同研究の記載さえNGとされたことを考えると、表現できるのはその医師が開発に関わったという事実だけに留めたほうがよく、それ以上に効果の保証や推薦がある旨の広告はNGと考えた方がよいです。

---

10) 薬機法第66条第2項、医薬品等適正広告基準第4の10。

④ 健康食品の専門家の保証・推薦は要注意

　健康食品については、薬機法の適用を受けませんので、医師による保証・推薦を**禁止する規定はありません**。ただし、病気の治療や予防になると広告すると、医薬品としての効果を示していることになり、未承認医薬品の広告禁止に抵触する可能性があります。特定の病気に関して効果があるような表示を行ってはいけません。

　また、医師の診断・治療などによらずに**病気を予防・治療できるような表示は法律違反**です。これは、そういった保証を医療関係者が行う場合でもNGです[11]。健康食品の効果の表現について具体的にはQ48・Q49を参照してください。

11）健康増進法第66条第1項。

 **ビフォー・アフター写真を載せたい！**

医薬品や食品の広告で、商品を使う前と使った後の写真を並べる表現（ビフォー・アフター写真）をよく見かけます。見ただけで消費者に訴えることができ、高い広告の効果が期待できますが、注意点を見ていきましょう。

1 そもそも広告で使えるのか

そもそもビフォー・アフター写真を広告に掲載できるのでしょうか。広告で図や写真を使うことは禁止されていません。ただし、Q9で説明のとおり、薬機法第66条第1項は、虚偽・誇大広告を禁止しています。

ビフォー・アフター写真は、使用前後の比較で見た人に強い印象を残す一方で、**誤解を与えやすい**ものです。実際よりも「効果がありそう」「安全に使えそう」といった表現になりがちなので、虚偽・誇大広告になってしまうケースが多いと言われています。

2 ビフォー・アフター写真で禁止されること

ビフォー・アフター写真を使うときは、問題になりがちなものとして、以下のことが禁止されています。

（1）承認等外の効能効果等を想起させること

医薬品などでは、効能効果の内容は、承認や届出の内容によって一定の範囲に決められています。ビフォー・アフター写真を見た人が、その**範囲を超えた効果があるように誤解**してしまうと、虚偽・誇大広告になります。

（2）効果発現までの時間及び効果持続時間の保証となること

　ビフォー・アフター写真は静止画像なので、普通に考えれば、効果が生じるまでの時間や効果が持続する時間を表現できません。これらを保証するような表現は、虚偽・誇大広告になります。

> ✕　製品を使用しようとする写真と、その直後に効果が出ているような写真を並べる
> ✕　文字を入れたりして1週間後にも効果が続いているような印象を与える写真

（3）安全性の保証表現となること

　製品の安全性については、「絶対安心」な製品は存在しないため保証表現が禁止されています。ビフォー・アフター写真では安全性についても保証表現になりがちなので、特に禁止されています。

> ✕　文字を入れたりして使用しても危険がないことを強調するような写真

◎ 養毛剤のケース（※発毛効果なし）

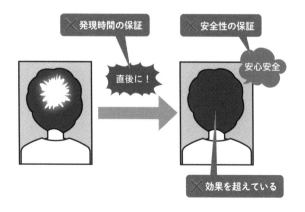

74

③ 具体例

　最後に、ビフォー・アフター写真の適切な例と不適切な例を確認しましょう。

（1）適切な例

鎮痒消炎薬（効能：かゆみ、虫刺され等）	虫刺されにおいて腫れている患部と完治後の患部の写真を並べて使用する
洗浄料	肌が汚れた写真と洗浄後の写真を並べて使用する
シャンプー	フケがある頭皮の写真とシャンプー使用後の頭皮の写真を並べて使用する

※ 適切な例では、どれも、認められた効能効果の範囲のなかで表現できているものと考えられます。

（2）不適切な例

医薬品	症状の緩和という効能効果の医薬品に関して、治癒や完治するかのような写真を並べて使用する

※ 不適切な例は、症状を緩和させる効能しかない製品なのに、それが治っているような表現になっています。これは、認められた効能の範囲を超えてしまっているので、違法な表現です。

🔻 しっしんの症状を緩和させる製品のケース

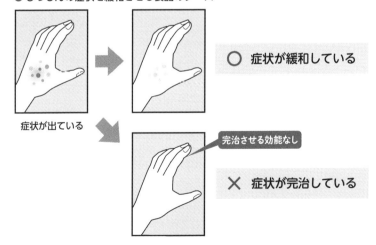

症状が出ている

○ 症状が緩和している

完治させる効能なし

✕ 症状が完治している

Q19 臨床データ・実験例を 広告に掲載したい！

広告に使用するデータには、臨床データ・実験例などの製品に関するデータと、使用者へのアンケートなどの調査情報（Q20参照）があります。前者は原則として広告で表示することはできませんが、OTC医薬品と指定医薬部外品、マスクの素材については、厳しい条件を守ることでデータを表示することができます。

❶ 臨床データや実験例の表示の基本ルール

医薬品等には、薬事承認を受けるときに必要となる治験などの臨床データや動物実験の例などの様々なデータがあります。これらのデータを表示すれば、有効性や安全性を示せると考えることもできます。しかし、消費者に誤解を与える可能性が高いため、広告への表示は**原則として禁止**されています。ただし、OTC医薬品・指定医薬部外品・マスクの素材では、例外が認められています。

❷ OTC医薬品と指定医薬部外品の例外

OTC医薬品と指定医薬部外品については、以下の条件を全て守れば、臨床データや実験例の掲載が認められます。

① 広告できる媒体

新聞雑誌等の活字媒体、各企業のウェブサイト、テレビ媒体に限

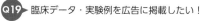

り広告ができます。これ以外の媒体では認められません。

② **掲載スペース・伝達する時間**

　　消費者が理解できるための十分な掲載スペースや伝達する時間を確保することが必要です。

③ **必要な手続**

　　作成時に社内の法務部門等の承認を得た上で、事前にOTC医薬品の**業界団体の広告審査会への届出**をする必要があります。

④ **データの出典の明示**

　　データの出典を正確に明示することが必要です。

⑤ **使用できるデータの範囲**

　　使用できるデータは、基本的に、薬事承認と再審査・再評価の申請の時に提出したデータのみです。製造販売後の安全調査などで収集したデータの使用は禁止されます。

⑥ **許される広告表現**

　　ⅰ）症状ごとの有効性判定（著効、有効、やや有効、無効、悪化等）の表示

　　治験や臨床試験で**使用した用語**で表示する必要があり、簡単な用語に置き換えたり、要約したりすることは禁止です。また、承認された効能効果の範囲内で**全ての有効性結果**について記載する必要があり、強弱をつけずに内訳を全て表示し、1つだけを取り出すことは禁止されます。ある症状に対する有効率が100％であるデータは掲載しないものとされています。仮に、本当に有効率が100％であったとしても認められません。

> ○ 著効40％、有効30％、やや有効25％、無効4％、悪化1％の効果が見られました
>
> 治験などで使用していない用語
> ✕ 効果あり95％、効果なし5％です
> ✕ やや有効以上で95％の効果がありました
> 一部だけを取り出して表示
> ✕ 著効80％、有効20％　←　有効率が100％

ⅱ）全般的な改善度の使用

　全般的に改善した結果は、**承認された効能効果の範囲内**では使用することができます。一方で、承認された以外の効能効果を含む場合は、全般的改善度の判定の使用自体が禁止されます。

ⅲ）データのキャッチコピーの使用やデータの解説

　データをわかりやすく伝えるためのキャッチコピーの使用は、データを説明し、データの確認を促すためのキャッチコピーや解説であれば可能です。ただし、内容を強調したり、有効性や安全性を保証したりすることは禁止されます。

> ✕ データからわかるように驚きの効果があります
> 強調表現

ⅳ）グラフの使用

　グラフを使用する場合は、正確に**誤解を与えない**ように行います。消費者に誤認を与えるようなスケール変更やトリミング、強調表現は禁止されます。

ⅴ）副作用など

　データを使用するときは、有効性だけでなく、副作用の情報も掲

載する必要があります。仮に、副作用を表示することで表示がわかりづらくなるようなときは、症状を掲載する必要があります。また、使用上の注意事項を掲載することが必要です。

⑦ 行政庁から要請があった場合は協力すること

行政庁から、広告に関する資料の提供を求められた場合は、協力する必要があります。そのためにも、常にデータの**根拠や資料は保管**しておくことが必要です。

3 マスクの素材の試験結果

マスクの素材については、抗菌試験、抗ウイルス試験、その他の花粉捕集効率などの試験結果の表示ができます。この表示をするためには、以下の条件が必要になります。

> ① **公的な試験機関の結果のみ表示できる**
> ② **マスク全体ではなく素材の試験結果であることを明示する**
> ③ **マスクが肌に面していない部位の記載に限定する**

Q20 使用者アンケートの結果を 広告に掲載したい！

使用者へのアンケートなどの調査情報のデータに関しては、公的情報と外部機関が行った私的情報を表示できます。ただし、私的情報の場合は、外部機関の名称を明示したうえで、データに信頼性と公平性が認められることが必要です。

① 調査情報（調査結果）の表示のルール

製品の試験データではなく、実際に使用した人の評価を調査し、その調査結果を表示することはよく行われています。「利用者満足度99％！」「リピート率95％」といったものです。このようなデータを「**調査情報**」といいます。

調査情報は、臨床データと比べると一般人の信頼が比較的低い一方で、多数の人の口コミを統計化したものでもあるので、ルールが定められています[12]。最近、調査情報の不適切な利用について消費者庁が相次いで処分をしており、注意が必要です。

（1）調査情報の範囲

製品自体に関する調査結果（製品の**効能効果・安全性・発現程度、成分**に関することなど）は「調査情報」に**含まれません**。そのため、このような調査結果を表現することは禁止されます。

○ 買ってよかったと思った方90％

単なる感想

---

12) OTC医薬品の広告に調査情報（効能効果又は安全性を除く）を使用する際の付記項目について　https://www.jfsmi.jp/pdf/20220617_1.pdf

✕　美白効果があったと感じた方90%

効能効果に関する事項

（2）情報を収集した者ごとのルール

情報を収集した者の違いによるルールがあります。

① 公的情報の場合

公的情報というのは、国の統計調査、文献になっている学術研究のような、製品と利害関係のない（利益相反のおそれのない）情報です。このような情報は、利害とは関わりなく調査されたもので客観的に信頼できます。そのため、**制限なく使用**できます。ただし、きちんと**出典を明示**し、調査方法や調査時期を見やすく表示することが必要です。データを抜粋したり、加工したりする場合は、消費者が誤解なく理解できるようにすることも必要です。

○　年間のインフルエンザ患者数●万人　厚生労働省「インフルエンザ患者数の統計」医療機関からの報告に基づく2022年度より

✕　年間のインフルエンザ患者数●万人　国調べ

出典などの明示なし

② 私的情報の場合

私的情報というのは、民間の団体・企業が独自に行った公開・非公開調査や社内アンケート等に基づく情報です。私的情報の場合は、公的情報のような信頼がありませんので、無条件に使用することはできません。

まず、広告をする者の自社調べや社内アンケートは、信頼性や公平性に欠けるとされ、**一切使用できません**。一方、外部の機関に調査を依頼する場合で、信頼性・公平性がある場合は、**調査機関を明示**することで調査結果を表示できます。

2

共通して知っておきたい重要なポイント

81

○ お客様満足度98％　リサーチ会社A社の調査結果による。
調査期間●年●月〜●月。当社製品の購入者1000人への
アンケート結果に基づく

✕ お客様満足度98％　当社の調査結果による ← 自社調べ
✕ お客様満足度98％　A社の調査結果による

> A社の属性、調査期間、対象者数などの記載
> がなく、客観的に信頼性、公平性が不明確

③ 公的情報・私的情報以外の情報

使用できるのは公的情報・私的情報です。

（3）調査や根拠を社内で管理すること

使用した調査や根拠は、提出を求められた場合に速やかに対応でき
るように、社内でしっかり管理することが必要です。

（4）調査情報のキャッチコピー使用やデータの解説

データを説明し、データの確認を促すキャッチコピーや解説は表
現可能です。ただし、恐怖や不安を与える表現は禁止されます。

✕ まだ使っていない人はもはや時代遅れ ← 不安を与える表現

（5）グラフの使用

調査情報をグラフにして表示することはできますが、消費者に誤
認を与えるスケール変更やトリミング、強調表現は禁止されます。

❷ 化粧品などの「調査結果に基づく数値」の表現

化粧品広告ガイドラインでは、化粧品・医薬部外品の広告で、調
査結果に基づく数値を表現する場合のルールを定めています。上の
一般的なルール（OTC広告ガイドライン）とほぼ内容は同じです
が、化粧品などの場合の決まりです。

化粧品の広告では、使用者からのアンケート結果など、利用者の感想や満足度に関する調査結果を表現することもよく行われていますが、以下の事項を守る必要があります。

① 「使用方法、使用感、香りの嗜好性等」に関することが明示されていること

　効能効果や安全性に関する調査結果を表現することはできません。「お客様満足度」のような表現なら問題ありませんが、「効果の実感度」のような表現はできません。

② 調査内容が明示されていること

　調査の内容がわかるように、調査の概要をはっきりと記載することと、調査の結果が適正に引用されていることが必要です。

○　使いやすさの満足度93%

✕　満足度93%　※使いやすさ　◀ 不明瞭な注釈による説明は禁止

Q21 最大級の表現ってなに？

「最高の効果」、「売上 No.1」「世界一を誇る」などの表現があります。最大級の表現といいますが、このような広告は法律で規制されています。それぞれ、具体的に見ていきましょう。

❶ 医薬品の最大級の表現は NG

医薬品の品質、有効性、安全性についての**最大級の表現は禁止**です。理由は、そもそも最高の品質や有効性、安全性はあり得ないからです。つまり、虚偽や誇大な表現になるのです。

ただし、OTC 医薬品については、一般向けの広告をする際に、同じシリーズの医薬品のなかでの最上級の表現をすることはできます。理由は、シリーズ内なら、比較対象がはっきりしてるので最大があり得るからです。このような場合には、広告全体として有効性や安全性の保証をしないように留意してください。「最高処方」など、医薬的な効果について最高という表現をつけることは明確に禁止されています[13]。

❷ 医療機器の最大級の表現も NG

医療機器の品質、有効性、安全性についての**最大級の表現は禁止**です[14]。

13）日本一般用医薬品連合会　第25回OTC医薬品等広告研修会　講演資料
https://www.jfsmi.jp/ad_guideline/item/voluntary%20rules_2022.pdf
14）安全性などについて、データを使用して公告する場合、正確かつ客観的なデータに基づいて記載しなければなりません。事実よりも大きく見えるような表現は避けましょう。

③ 化粧品の最大級の表現も NG、 でも効能効果安全性以外は広告できる

化粧品についても、効果効能・安全性をアピールしようとすると、どうしても強調的な表現を使ってしまいがちですが、効能効果・安全性について**最大級の表現は禁止**です。公正競争規約[15] によって不当表示にもなります。

ただし、化粧品業界の自主基準では、効能効果や安全性ではなく、「当社だけ」「日本初」「売上 No.1」など、**客観的に事実**である数値や根拠がある場合には、誤解にならない範囲で、その根拠を明らかにしながら表現することは OK とされています。

④ 健康食品の最大級の表現は要注意

健康食品については、薬機法の規制も受けませんので、最大級表現をすることが明確に禁止はされていません。

ただし、事実と異なる表現をした場合には、虚偽・誇大表示として、法律に違反する可能性があります。特に、最大級の表現は、どんな食品よりも優れていること、世界一であること、業界一番であることなどの絶対的な証明をすることは不可能に近く、本当に客観的なデータで根拠がある場合以外は、基本的には**避けた方がよい**でしょう。

化粧品と同じように、効能効果や安全性以外の点については、**客観的に事実**である数値や根拠がある場合には広告として表示できます。

2

共通して知っておきたい重要なポイント

---

15) 正式名称は「化粧品の表示に関する公正競争規約」。規約第8条と規約の施行規則第15条の2が最上級表現などを規制しています。

医薬品などを動画で広告したい！

医薬品等の広告をテレビやインターネット動画で目にすることは珍しくありませんが、医薬品等を動画で広告する場合も基本的なルールはこれまで見てきたものと同じです。もっとも、動画特有の問題もあるため、ここで見ていきます。

❶ 不快・迷惑・不安・恐怖を与えるおそれのある広告の禁止

　動画広告は、文字を掲載できるスペースが少なかったり、時間が短かったりという特徴があります。こうした制限のなかで視聴者に印象を残すため、どうしてもインパクトのある表現になりがちです。しかし、

① 病気の症状や手術場面のような、消費者に病気になることへの不安や恐怖を与える表現は禁止されています。

② 音声で印象を与え、記憶に残そうとして、医薬品の名称などを連呼したり、消費者が不快を感じる奇声を上げたりするなどの表現も禁止されています。

　こうした表現はインパクトがあるので、SNSでの炎上につながりやすく、監督官庁の目に留まる可能性も高いので、絶対にしないようにしてください。

　インパクトのある広告自体が禁止されるわけではないのですが、一般的な消費者に不快感や迷惑を与えるかどうか、消費者に不安感や恐怖心を与えるかどうかを慎重に判断することが大切です。

❷ 過剰消費、乱用助長を促すおそれのある広告の禁止

　医薬品等の過剰な消費や乱用を助長するような広告は、動画広告に限らずに禁止されています。ただ、動画広告は影響力が強く、特

にテレビのようなマスメディアは視聴者が膨大なので、このルールに触れる可能性が高くなります。

　広告は、消費者に自社製品を使ってもらうためにするので「過剰な消費」を促す広告の禁止との関係はとても繊細な問題です。何が「過剰」になるのかが大切になりますが、定められた用法用量を超えた使用をしないようにメッセージを入れたり、効能効果とは関係のない使用を促しているように捉えられないようにしたりすることが必要です。

③ 動画の出演者に関する注意点

　動画広告の場合、タレントのような有名人が出演するのが一般的です。このような場合の注意点を見ていきましょう。

（1）効能効果などの使用体験談の禁止

　大原則として、出演者に実際に製品を使った感想（使用体験談）を話してもらうときは、製品の効能効果や安全性の話題は絶対に禁止されます。

　使用体験談として表現してもいいのは、**使用感**（Q45参照）と**商品説明**だけです。

○ 「私も使っていますが、デザインも可愛いし、手もべたつかないんです」　　使用感

○ 「この製品は、肌を白くする効果があるそうです」
　　　　　　　　　　　　　　　　　　使用体験談ではなく商品説明

✕ 「私も使っていますが、びっくりするくらい肌が白くなるんですよ」　　製品の効能効果に関する使用体験談

✕ 「私も使っていますが、副作用もないんですよ」
　　　　　　　　　　　　安全性に関する使用体験談

2

共通して知っておきたい重要なポイント

（2）番組内で広告をするときの注意点

　　番組とは別のCMではなく、番組のなかで特定の製品を話題にさせる場合の注意点も重要です。

　　まず、視聴者に製品を購入してもらおうとする意図がなく、製品の会社と無関係に番組が独自に取り上げる場合は広告にはなりませんので、ルールの適用はありません。

　　しかし、製品の会社がスポンサーになっている番組内で製品の説明をする場合は広告になります。この場合は、番組自体と広告を視聴者が区別できないので、司会者などから、これから**広告になることの説明**が必要です。また、番組内での説明の場合は、使用体験談に限らず、医薬品等の品質や効能効果、安全性などについて話題にすることが禁止されます。直接話さなくても暗示することも同じく禁止されます。

> ✕ 「この製品って、原料にもこだわった高品質の商品なんですね」
> 　　　　　　製品の品質についての言及
> ✕ 「（製品説明で製品が安全であることのテロップを見ながら出演者がうなずく場面を写す）」
> 　　　　　　製品の安全性を暗示

（3）スポーツ選手を出演させるときの注意点

　　スポーツ選手が広告に出演することは問題ありません。しかし、視聴者はスポーツ選手の優れた運動能力や身体能力を知っており、能力と製品とを結びつけてしまいます。つまり、医薬品等の効能効果によってそのような力が身についたような誤解を与える可能性があります。そのため、スポーツ選手の能力と医薬品等の**効能効果に関係がある**ような**誤解を与える広告は禁止**されます。

> ✕ （スポーツ選手が）「僕のパワーはこの製品のおかげ」
> 　　　　　　スポーツ選手の能力が製品の効果だと誤解させる

(4) 子どもを出演させるときの注意点

　小学生以下の子どもを動画広告に出演させるときも注意点があります。まず、殺虫剤や電気を利用する医療機器のような、取扱いに注意が必要な製品の広告に子どもを出演させるのは禁止です。

　医薬品などは、子どもが自由に使用するものではないので、広告を見た子どもが、真似をして**勝手に医薬品を使うことを防ぐ**ために、子どもが医薬品を手に持っていたり、使っていたりする場面も禁止されます。子どもに使用するための医薬品の場合も、お父さんやお母さんが子どものために使っているような場面にします。広告を見ている子どもがどう思うのかを考えるようにしましょう。

(5) 白衣を着た人を出演させるときの注意点

　Q17でも説明していますが、医師などの医療関係者が医薬品等の広告をすることは禁止されています。医師のような医療関係者が出演し、製品に関して話したり、説明したりする広告は「推薦」にあたり一切禁止です。ただし、広告のなかで単に**「登場」しているだけ**なら問題ありません。例えば、医師が患者を診察している場面を写すような場合です。

　研究職に携わる従業員などは医療関係者にはあたらないので広告に出演できますが、広告のなかで**白衣を着用する場合**は、消費者には医療関係者のように見えます。そのため、広告のなかで医療関係者ではないことを説明し、仮に「医学博士」のような資格を持っている場合も、医療関係者であると誤解させるので、そのような**肩書**を表示してはいけません。

2

共通して知っておきたい重要なポイント

Q23 比較広告・誹謗広告ってなに？

自社が販売・提供する商品やサービスを広告するときに、競合会社の商品やサービスと自社のものの内容や取引条件を比較し、自社のものが優れていることをアピールするのが比較広告です。製品の種類ごとにルールが異なるので、その違いをしっかり理解することが大切です。また、他社を誹謗する広告は禁止されますので、ここで確認しましょう。

❶ 医薬品等の比較広告

（1）他社製品との比較はできない

まず、医薬品等ではライバル会社の製品との比較広告ができません[16]。「A社の製品と比べて…」のように明示的に比較する場合だけでなく、「一般的な他社製品と比べて…」のように暗示的に比較する場合もNGです。

（2）自社製品との比較はルールを守ればできる

自社製品との比較は、比較対照にする自社製品の名称を明示すればできます。なお、化粧品の公正競争規約では、以下のような条件が必要とされています。適切な比較をするために大切な事項なので、化粧品以外の医薬品などでも参考にするとよいでしょう。

① 対照製品と通常の使用目的が同一
② 対照製品が比較する時に市販されていて通常の方法で購入できるか、直前まで販売されていたこと
③ 客観的事実に基づく具体的数値や根拠を正確に引用すること
④ 比較する事項が、商品の特徴、見た目や仕様により消費者に容易に認識できる事項であること

16）適正広告基準・第4・9。

⑤ 商品の選択に役立つ事項で、社会通念上・経験則条妥当な調査方法によって明らかになる事項であること

(3) 漠然と比較する場合は要注意

漠然と比較するというのは、製品の一般的名称を記載して「電位治療器のなかでは…」のように、自社製品を含めたその種類全体での説明をするような場合です。しかし、他社製品を明示する場合だけでなく、暗示的なものを含めて禁止されていますので、「一般的な製品と比較して…」のような表現もNGになります。許される範囲を判断するのは難しいので、避けたほうがよいでしょう。

(4) 食品との比較

OTC広告ガイドラインでは、食品とOTC医薬品を比較する広告は、景表法のルール内で行うように定めていますが、以下の場合は広告できるとしています。OTC医薬品に関するルールですが、他の医薬品等の広告でも参考になります。

① 事実を淡々と表現すること
② 効能効果について承認を得ていることを表現すること

> ○ 医薬品だから効きます
> ○ 効能効果を言えるのが医薬品です

③ 医薬品の安全性に関しては言及しないこと
④ 持続性・崩壊性などの製剤上での特長に関するデータを活用して比較すること

2 医薬品等以外の製品の比較広告

医薬品等以外の製品の場合は、他社製品との比較もできます。ただし、消費者が商品やサービスを選ぶときに誤った判断をするような情報を与えると、違法な広告になってしまいます。

（1）比較広告で示す内容が客観的に実証されていること

　　まず、正確に情報を提供するため、客観的に信用できる数値や事実を示す必要があります。

　　比較広告でアピールしたい内容の**調査が実際に行われ、アピール通りの結果が出ている**ことが大前提です。比較の方法は、対象となる商品やサービスの特性について確立された方法がある場合はそれを用い、ない場合は社会的に疑問が持たれない方法を用います。

　　公的機関が公表している数値・事実や、引き合いに出すライバル会社自身が公表している客観的に信頼できる数値や事実も、比較広告に利用できます。

　　調査を行うのは広告する会社とは異なる機関、例えば国公立の試験研究機関などの公的機関、中立的な立場で調査・研究を行う民間機関などが望ましいですが、自社調査の結果でも、**方法が適切**であれば利用することが可能です。

（2）実証されている数値や事実を正確かつ適正に引用すること

　　調査結果は正確に引用します。例えば、限られた条件下の結果なのに、まるで全ての条件下で当てはまるように誤解させることや、結果の一部だけを都合よく引用して、実際の調査結果とは異なるアピールをすることはNGです。

　　また、調査機関、調査時点、調査場所などの**調査方法に関するデータを広告中に表示**することが望ましいです。表示しない場合も、調査方法を適切に説明できるのなら、すぐに違法となるわけではありませんが、あえて表示しないことで消費者に誤解を与えるような内容となってしまう場合はNGです。

（3）比較の方法が公正であること

　　比較の方法も公正にします。品質にあまり影響がない項目を比較し、消費者が品質を誤解する表現にならないようにします。

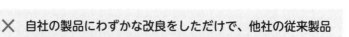

> ✕ 自社の製品にわずかな改良をしただけで、他社の従来製品と比べて画期的な新製品であるかのように表示する
> ✕ 競合会社の商品やサービスでも、異なる種類と比較してあたかも同じ種類のものとの比較であるかのように表示する
> ✕ もう販売されていないのに今も販売されているように比較して表示する

　比較広告をするときに、関連する短所を表示しなくても、それだけでは問題になりませんが、表示が義務付けられていたり、普通は表示されている事項でしかもアピールする長所とセットになった短所をあえて表示しなかったり、わかりやすく表示しなかったりすると、消費者に誤認を与えるのでやめましょう。

③ 誹謗広告は許されない

　競合会社を引き合いに出して広告するときは、比較を超えて誹謗する広告とならないように注意します。

　他社の中傷／誹謗と言われるのは、商品やサービスなどの具体的な情報を提供するためでなく、単に競合会社やその商品を陥れるため、あえてその欠点を指摘するものです。

　中傷、誹謗となる広告は、事実に反する表現だけでなく、事実であっても、競合会社の**信用失墜**や**人身攻撃**になるような表現です。医薬品等の場合は、誹謗広告は絶対に禁止されています。それ以外の製品でも、広告全体からみて競合会社の商品やサービスが実際より著しく劣っているような印象を消費者に与えるのは不適切です。違法とならない場合も、倫理上の問題や品位にかかわる問題、炎上のリスクが生じるので、避けるのが望ましいです。

2

共通して知っておきたい重要なポイント

Q24 ステルスマーケティング 規制って？

令和5年10月1日から、ステルスマーケティングが規制[17]されます。ただ、何がステルスマーケティングなのか、どんなことに注意しなければいけないのか不安な人も多いでしょう。ステルスマーケティング規制の内容と、必要な対策を見ていきましょう。

❶ ステルスマーケティングとは？

ステルスマーケティングとは、一言で言えば、「**本当は広告なのに、消費者には広告だとわかりにくいもの**」のことです。例えば、口コミだと思ったのに、本当は企業が投稿者にお金を渡し、投稿内容を指示して投稿させたものだった、という場合です。

なぜ、ステルスマーケティングが禁止されるのでしょうか。例えば、ある化粧品のテレビCMを見た時と比べて、口コミサイトに「この化粧品を使ってみたらとてもよかった。皆さんにもオススメです」とあれば、実際に使った人の感想だから、よさそうだと思う人は多いでしょう。実際に、多くの人が飲食店の口コミサイトを利用しています。その理由は、口コミは広告とは違って、その人の正直な感想が書かれていて、信用できると思うからです。

しかし、本当は、企業からお金をもらって投稿していたのなら、その内容は正直な感想ではありません。そのため、一般消費者を騙す不公正なものとしてステルスマーケティングは違法となりました。

❷ ステルスマーケティング規制の内容

ステルスマーケティング規制に抵触しないためには、要するに、消費者に**広告だとわかれば**よいことになります。

---

17) 根拠法令は景表法第5条第3号、内閣府告示第十九号「一般消費者が事業者の表示であることを判別することが困難である表示」。

　例えば、投稿内容のなかに、「PR」「プロモーション」「広告」といった表示が入っていたり、文章で「この投稿は事業者からサンプルの提供を受けて作成しています」といった表示があったりすれば、広告だとわかります。

　ただ、消費者にわかりやすく表示しないといけないので、長い動画の最後に「PR」と入れたり、大量のハッシュタグのなかに紛れ込ませたりするようなことは禁止されます。

❸ そもそも何が「広告」になるの？

　ステルスマーケティング規制でいちばん難しいのは、そもそも何が規制の対象となる「広告」になるのかという点です。この「広告」のことを、消費者庁が定めた運用基準[18]のなかでは**「事業者の表示」**と呼び、事業者が自分が提供する商品やサービスに関して行う表示のことだと定義しています。

　わかりやすいのは、事業者が製品のために作るチラシ、テレビCM、雑誌広告、製品のランディングページ（LP）などです。このような場合は、事業者が自分の名称で表示をしているので、「事業者の表示」（広告）というのはわかりやすいと思います。

　事業者が気付かない場合でも、例えば、その製品の営業をしている従業員が、自分の営業成績を伸ばすために無関係の消費者になりすましてSNSに投稿した場合も、事業者の表示になります。

　一方で、わかりにくいのは、事業者が自分の名称で表示をせずに、別の業者やインフルエンサーのような第三者に依頼して、その第三者が自分の名前で表示をする場合です。具体的には、SNSや口コミサイトへの投稿のような場合です。

　このような場合に、事業者の表示になるかどうかは、その投稿内容などの表示が、その**第三者の自主的な意思**で作られたものかどう

18）「一般消費者が事業者の表示であることを判別することが困難である表示」の指定及び『『一般消費者が事業者の表示であることを判別することが困難である表示』の運用基準」の公表について　https://www.caa.go.jp/notice/entry/032672/

かです。自分の感想を自主的に書いている場合は事業者の表示には
なりませんが、事業者が「こういう内容を書いて欲しい」と頼んだ
りしている場合は、その第三者の表示も「事業者の表示」（広告）に
なります。ステルスマーケティングには様々なバリエーションがあ
りますが、事業者が関与しているような場合は、「広告になる」と
思ったほうがよいでしょう。

④ ステルスマーケティング規制対策のポイント

　本当は広告なのに、一般消費者にはそうだとわからないものがス
テルスマーケティングです。そのため、上述の❸で説明した「事業
者の表示」に該当するときは、広告であることがわかるように、「PR」
などの表示を入れるようにしましょう。

⑤ ステルスマーケティングの思わぬ影響とは？

　あまり指摘されていませんが、ステルスマーケティング規制には、
もう1つの大きな影響があります。
　事業者以外の第三者の表示したもの（広告のほかあらゆる表示）
がステルスマーケティングとして「事業者の表示」とみなされると、
その表示内容が広告ルール（優良誤認表示、有利誤認表示、薬機広
告規制、食品広告規制など）に違反している場合は、その第三者だ
けでなく、**事業者も広告ルール違反の当事者**になることです。
　したがって、事業者が関与する第三者の表示内容については、単
に「PR」などと表示するだけでなく、薬機法などに違反していない
かどうか、これまで以上にチェックする必要があります。

Chapter

3

医薬品の
広告・販売表示の Q&A

Q25 医薬品の種類による注意点とは？

医薬品の広告に際して最初に確認すべきことは、その医薬品の種類です。
医薬品では、必ず薬事承認を受けますので、ここでは薬事承認の基本事
項のほか、医薬品の種類によって注意する点を解説します。

1 薬事承認＝医薬品の基本中の基本

　医薬品は人の身体に使うものなので、効き目や安全性などをしっかりと検証し、「薬事承認」を受けて、はじめて販売することができます。薬事承認を受けていない未承認医薬品は販売できませんし、広告もできません。こう言われると「販売できない製品を広告することなんかない」と思うかもしれませんが、実はとても注意が必要です。

　1つは、**外国から製品を輸入して販売する場合**です。現在、インターネットを通じて海外の製品も気軽に買うことができます。海外で売られている医薬品を購入（輸入）し、日本で販売することも簡単にできます。しかし、日本と海外では法律の規制も違います。薬事承認は日本で行われるもので、うっかり日本では未承認の医薬品を販売、広告してしまうことが起きてしまいます。

　それ以上に注意が必要なのは、これは何も**「医薬品」に限った問題ではない**ことです。例えば、あなたがあるサプリメントを販売しようとします。サプリメントは「食品」に分類されるものも多くあり、必ずしも薬事承認は必要ありません。このとき、うっかり「このサプリメントは花粉症の辛い症状を和らげてくれます」と広告すると、未承認医薬品の広告になってしまうのです。

　医薬品の広告かどうかは、その広告が医薬品の効能効果を表示しているかどうかで判断されます。花粉症は疾患（病気）ですので、

その症状を和らげる製品は医薬品に分類されます。この場合、薬事承認のない「食品」なのに、医薬品のような効能効果を表示することは未承認医薬品の広告として薬機法違反になり、できません。

2 一般向けの広告が禁止されている医薬品

医薬品を広告する上でもっとも注意が必要なのは、医療用医薬品と市販薬の区別です（Q2参照）[1]。医療用医薬品を買うためには、医師の処方箋や指示が必要です。私たちが自由に選んで買えるわけではないので、一般人への広告が禁止されています。処方する医師向けの広告しかできません。

注意すべきなのは、医師向けに広告したつもりが、一般人向けになってしまう場合です。例えば、医師向けに広告しているつもりのインターネットサイトでも、**誰でも自由に閲覧できる場合**がこれにあたり、閲覧制限などの対応が必要になります。

医療用医薬品のほかに一般人向けの広告が禁止されている医薬品として、①**習慣性医薬品**（依存性が高い医薬品。睡眠薬など）、②**がん、肉腫、白血病用の医薬品**、③**医師などが診断・治療しないと治癒が難しい疾患用の医薬品**があります。①の習慣性医薬品には市販薬も含まれています。これらの医薬品については、一般人向けの広告をしてはいけません。

3 その他の医薬品の種類で注意すること

医薬品の種類ごとに注意することのうち、重要なものを見ていきましょう。

（1）OTC医薬品広告では効能効果の表示が必要

OTC医薬品の広告の場合、OTC広告ガイドラインにおいて、**承認された効能効果を1つ以上付記するか付言すること**とされていま

---

1) 医療用医薬品は処方箋医薬品とその他の医療用医薬品、OTC医薬品は要指導医薬品と一般用医薬品にさらに分かれますが、広告ではそれほど気にしなくても問題ありません。

す。効能効果に触れずに、医薬品の名称だけを記載したり、連呼したりするような広告はNGです。

（2）注意喚起が必要な場合がある

　例えば、1歳未満の乳児の服用を禁止するなど取扱いに注意が必要な医薬品の場合、広告のなかで注意喚起をすることが必要になります。該当する医薬品は種類も多いのでその都度の確認が必要です。注意喚起の文言を入れる分、広告スペースが小さくなりますが、必ず守る必要があります。

　医薬品は、普通のモノと異なり、使用には注意が必要なものです。医薬品の広告では、広告を見て買ってくれる人への配慮が大切です。

（3）かぜ薬、目薬、水虫薬の広告

　広告されることが多い医薬品で注意が必要なのは、かぜ薬、目薬、水虫薬の広告です。

　かぜ薬では「かぜの症状を緩和させる」などの記載が必要になるほか、「総合感冒薬」「総合風邪薬」と評するための条件、「眠くならない」などの表現をする場合の注意点があります。

　目薬では「目のかすみ」「ドライアイ」という言葉を使う場合のルールがあり、水虫薬では「かゆみ」という用語を使用する場合のルールや、効き目が速いことを表現する場合のルールが設けられています。詳細はOTC広告ガイドラインを必ず見てください。

Q26 医薬品の成分表示で気をつけることは？

医薬品の効き目である「成分」は、一般消費者の関心も高いため、ほとんどの広告で表示されています。一方で、不正確な表現となって誤解を与えてしまうことが多いです。ここでは、成分を表示するときの注意点を確認しましょう。

❶ 成分表示は正確に

　医薬品の成分は、医薬品と一緒に入っている添付文書はもちろん、入れ物（容器や被包）にも表示されています。広告でも成分を表示することはもちろん可能です。その際、成分の名前や含まれている量を、正しく記載することが必要です。嘘はもちろん、大げさに記載することや、誤解を与える表現も禁止です。

　成分量を記載するときに多いのは、「…%」「…g配合」と表示することです。しかし、これでは消費者に「これだけ入っているなら効きそう」という過剰な期待を与えるおそれがあるため、必ず**分母を明確**にしたうえで、1回あたりや1日あたりの成分量から大きく離れないようにします[2]。

> ✕　有効成分を●g配合

> ◯　有効成分Aを膏体100gあたり●g配合

❷ 一部の成分だけを表示する場合のルール

　医薬品の成分は、1つではなく複数のことが多いですが、広告で

---

2)　日本一般用医薬品連合会　第25回OTC医薬品等広告研修会　講演資料
https://www.jfsmi.jp/ad_guideline/item/voluntary%20rules_2022.pdf

は全部を表示せずに、いちばん消費者にアピールしたい成分だけを表示するのが普通です。一部の成分を取り出して表示することを、「**特記表示**」「**特定成分の表示**」といいます。

　特記表示は、薬事承認で認められた効能効果（例えば「解熱」など）と関連のある有効成分に限ってできます。効能効果と無関係のもの、例えば添加成分だけを広告で記載することはできません。

× 　香料●を配合　← 効能とは無関係の成分

○ 　成分Aが熱に効く。香料に●を配合
　　　　成分Aが効能成分

　特記表示とした場合は、「各種成分が効果を発揮します」といった表現はできません。消費者には、「各種成分」が何なのかわからないためです。このような広告表現をするためには、全ての成分を表示しなければいけません。

× 　各種成分が効果を発揮　配合成分A　← 一部の成分のみ記載

○ 　各種成分が効果を発揮　配合成分A、B、C
　　　　　　　　　　　　　　　　全成分を記載

③ 成分を配合していないことを記載するときのルール

　成分を配合していないことを記載する場合もあります。一般的な消費者が嫌がる成分（ステロイド、カフェインなど）が入っていないことをアピールする場合です。例えば、「このくすりにはステロイドが入っていません」「ノンカフェインなので安心です」のような表現です。このような記載での注意点は4つあります。

　まず、①何の成分が**未配合**なのかを表示します。次に、②「未配合なのでとても安心です」といった医薬品の安全性を強調し、保証

する印象を与える表現は避けるべきです。また、③本来の効能効果
ではなく、例えば「ノンカフェインなのでぐっすり眠れます」といっ
たように二次的な効き目をアピールすることはできません。最後に、
④その成分を含む他の会社の製品と比較し、他の会社を誹謗する広
告（Q23参照）になる可能性に注意が必要です。

誹謗広告　　　　　　安全性の保証

✕　A社製品とは違ってノンカフェインで安心して眠れます

二次的効果

◯　ノンカフェインなのでしっかり寝て疲れが取れます

疲労回復は本来の効能効果の製品において

3

医薬品の広告・販売表示のQ&A

4　記事サイト、情報サイトに関する注意点

　最近は、インターネットが最大の広告メディアになっています。
この流れで増えているのは、**オウンドメディア**として記事サイト、
情報サイトなどを自社で運営し、特定の成分を詳しく説明すること
です。そこから商品の説明ページに誘導するのが一般的です。

　このようなサイトを設置することを禁止するルールはありません
が、会社の製品と全く無関係でない限り、広告の一部とみなされる
可能性があります。別サイトだからといって、製品の薬事承認で認
められた効能効果を超えた表現はできません。

　成分の効能やメリットについて広告できる範囲を超えて説明した
い場合は、記事サイトは製品やブランドの**ドメインとは切り離す**必
要があります。

5　その他成分表示で気をつけること

（1）成分の数は強調しない

　成分の数を表すことはできますが、強調することは禁止です。**数
だけを強調するような表現は避けるべきです。**

✕ 有効成分が5種も配合されているのでよく効く

強調表現

◯ 有効成分5種配合

（2）成分を略号だけで記載するのは禁止

成分は化学物質なので、長くならないように略号で使いたくなりますが、一般の人には何かわかりません。略号を使うためには、他のところに成分名をわかりやすく書かないといけません。

✕ Na配合

◯ Na（ナトリウム）配合 ← 成分表示に「ナトリウム」と記載

（3）カロリー表現には気をつける

例えば、液状の医薬品の多くは、飲みやすくするために糖質が含まれています。体型を気にする人向けに「低カロリー」「カロリー控えめ」といった表現もよくあります。この際、正しいカロリー数を一緒に記載しなければいけません。また、「たった」のように強調する表現はできません。低カロリーをうたう表現は、OTC広告ガイドラインに細かなルールが決められていますので、必ず確認してください。

強調表現

✕ たった10キロカロリー
✕ カロリー控え目 ← カロリー表示なし

◯ カロリー控えめ（1本あたり10キロカロリー）

Q27 医薬品の用法用量の記載の仕方は？

広告のなかで医薬品の用法用量を表現するときは、安全性を強調することなく、正確に表現する必要があります。複数の用法用量がある場合は、その全てを正確に表現してください。複数の医薬品の併用や「専門薬」の表現は原則として禁止されます。医薬品を、化粧品や食品のように使用することを強調する表現も禁止です。

1 用法用量を記載する場合の基本ルール

医薬品は決められた用法用量で使用するので、薬事承認で認められた内容を正確に表現します。また、決められた用法用量を無視して使用しても害が生じないような場合でも、「いくら飲んでも副作用がありません」「使用方法を気にせずに使っても安全です」といった**安全性を強調する表現は禁止**されます。

また、複数の用法用量がある場合に、1つの用法用量だけを表現することは不正確な表現になります。**全ての用法用量を正確に表現**しなければいけません。

2 医薬品の併用を表現することの禁止

複数の医薬品を併用することはよくありますが、専門家である医師や薬剤師が併用できるかどうかを慎重に判断して処方しています。一般人には判断できませんので、薬事承認などで併用が認められている場合を除き、**医薬品の併用に関する表現は禁止**されています。1つの広告のなかで複数の医薬品を扱う場合には、併用できる表現になっていないことを確認してください。

○ **この医薬品はA医薬品と併用することが認められています**

薬事承認で併用が認められている場合

✕ この医薬品は他の医薬品と併用しても問題ありません

③ 特定の人向けの医薬品

　医薬品には、特定の年齢層や性別などを対象にするものがあります。例えば、子ども用のシロップやかぜ薬などです。その場合でも子ども専用の薬という意味で「子ども専門薬」とは表現はできません。「●●専門薬」と表現できるのは、医薬品の**名称として承認を受けた**場合だけです。

　ただし、承認された効能効果や用法用量が少ないことで、子供用であることや、女性が対象になることがわかる場合は、「小児用」「女性用」と表現します。

○ 小児用 ← 小児が使うもの、という意味なので表現できる
○ 乳児用
○ 女性用

✕ 子ども専門かぜ薬 ← 「専門薬」という表現はできない
✕ 女性専門薬

④ 化粧品的、食品的な用法

　医薬品には、美容や健康にもよい影響を与えるものがあります。しかし、医薬品は化粧品や食品と比べると作用も強く、副作用もあるので、気軽に使用を推奨することはできません。化粧品や食品のように気軽に使用できることを強調し、安易な使用を促す表現は禁止されます。

✕ この医薬品はサプリ感覚で気軽に摂取できます

Q28 医薬品の効能効果の表現には どんな規制があるの？

医薬品の効能効果とは、いわゆる「効き目」のことです。消費者はよく効く医薬品を選びたいので、広告において「効き目」は強調しがちですが、薬事承認で認められた効能効果を正確に表現しなければいけません。

❶ 「しばりの表現」は省略しない

効能効果を記載するときは「しばりの表現」に注意が必要です。例えば、筋肉痛の医薬品で効能効果が「肩こりに伴う肩の痛み」で承認されている場合、「肩こりに伴う」が「しばり」の部分です。肩の痛みの原因は様々で、肩こりのほかに打撲や切り傷で痛む場合もあります。しかし、この医薬品の効能効果は肩こりによる場合だけです。「しばり」を省略すると、この製品の効能効果を正確に表現していないことになりNGです。

○ 肩こりに伴う肩の痛みに効き目があります
○ 日焼けによる肌の炎症に効き目があります

「しばり」の記載の省略
× 肩の痛みに効き目があります
× 肌の炎症に効き目があります
「しばり」の記載の省略

❷ 効能効果が複数あるとき、1つを選んで広告してよい

かぜ薬では、解熱、咳止めなど複数の効能効果が認められています。このように医薬品の効能効果が1つではないときは、全部を表

現せずに、特定の効能効果を選んで広告することもできます。

　ただし、「強心剤」のように、特定の効能効果をアピールする名称を使用できるのは、薬効分類として認められている場合だけです。薬効分類は「薬効分類表」として、厚生労働省のサイト[3]などにまとめられていますので、確認するようにしてください。また、「●●剤」に似ていますが「●●専門薬」という言い方は原則禁止されています（Q27参照）。

③ 副次的効果の表現、本来の効能効果ではない表現はNG

　医薬品による効能効果により、さらに別の効果が発生することがあります。例えば、肩こりによる肩の痛みがひどく肩を回せなかった人が、医薬品を服用したところ肩の痛みがなくなり、肩を回せるようになったとします。この場合の「肩を回せるようになる」ことを「副次的効果」といいます。これは医薬品の効能効果ではないため、記載は禁止されます。

　さらには、草野球をしている人にとって、肩の痛みがなくなり肩が回るようになれば、野球を楽しくできます。しかし、これも本来の効能効果ではありません。「肩こりに悩む野球人に」といったキャッチコピーをつけることも禁止されます。

副次的効果の表現

×　この医薬品を飲めば、肩が回るようになります
×　睡魔と戦う受験生のためのかぜ薬

副次的効果の表現

×　全ての野球人のための医薬品

本来の効能効果ではない表現

3）　https://www.mhlw.go.jp/content/11120000/000909009.pdf

④ 効能効果の強調をすることはNG

効き目が強いことをアピールするとき、事実よりも強い誇張された表現になりがちですが、虚偽表現や誇大表現になるので禁止されています。このような表現は様々なので、慎重に確認する必要がありますが、特に注意が必要な代表例は以下です。

（1）「強力」「強い」「比類ない」などの最大級の表現

効能効果をアピールする際に、「強力」「強い」「比類ない」「最高の」といった形容詞をつけることは、**最大級の表現**として事実と異なったり（虚偽表現）、事実よりも誇大な表現になったりしますので禁止されます。

（2）キャッチフレーズ、キャッチコピーに効果効能を使う

キャッチフレーズ、キャッチコピーとは、消費者の感覚に訴えて強い印象を与えるように工夫された短い文句のことです[4]。キャッチコピーに効能効果を使うと強調表現になるので禁止されます。

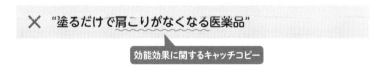

（3）文字の強調表現

特に伝えたい部分をアピールするために、その文字だけフォントを変える、大きくする、色を変える、上に点を打つなどの表現もよ

---

4) 医薬品では、「ラッパのマークの正露丸」「ファイト、一発。リポビタンＤ」などが有名です。

く行われます。これも強調表現になり、禁止されます。

太字による文字の強調
× 肩こりによる**痛み**を解消します
× 肩こりによる痛みを解消します
上に点を打つことによる文字の強調

（4）音声の強調表現

　テレビや動画などの音声の入る広告のなかで、特に伝えたい部分を大きく発音する、一音ずつ切って発声する、「よく効きます」を「よーく効きます」と伸ばして発声するなどの表現は強調表現になりますので禁止です。

大きく発音する表現
× 「肩こりがなくなります！」
× 「肩こりが、な、く、な、り、ます」
一音ずつ切った発声

（5）「すぐれた」と「よく効く」を重ねて表現

　文字、音声のいずれの場合でも、製品が優れていることや効き目があることを**重ねて表現**することは強調表現になるとされ、禁止されます。

効能効果の重ね表現
× すぐれた効能効果でよく効きます
× 効き目抜群のとてもよい製品です
効能効果の重ね表現

5 副作用や刺激が少ないことの表現は NG

　広告では、医薬品に付き物の副作用や刺激が強くないこともアピールしたくなるはずです。しかし、誤解を招く可能性が高いので、副作用が小さいこと・少ないことを表現することや、安心して使えることをうたうことは禁止されます。

> 副作用の程度を表現している

✕ **副作用が少ない製品です**
✕ **お子様でも安心してお使いいただけます**

> 安全性の強調

　ただし、①低刺激などが証明されていて、医薬品自体の安全性を強調しないとき、②使用しても眠くなりにくい製品で「**眠くなりにくい**」ことの2つだけは、表現できるとされています。

> 低刺激が証明されている製品において

〇 **本製品は刺激が少ない製品です**
〇 **この医薬品は眠くなりにくい製品です**

> 眠くなりにくい製品において

✕ **本製品は低刺激のため、どんなお肌にも安心して使用できます**

> 医薬品自体の安全性を強調した表現

✕ **本製品は眠くなりません**

> 「眠くならない」は認められていない表現

6 「おだやか」「やさしい」で形容すること

　刺激が小さなことや効き目が急激ではないことを表現するために、「おだやかな効き目」「身体にやさしい」といった言い方をすること

があります。

OTC広告ガイドラインでは、「おだやか」と「やさしい」という ワードを使えるのは、①科学的な根拠があって、②安全性の保証に ならず、③強調表現になっていない場合だけとされています。

使用できる表現の例に、「おだやかなお通じ」があります。緩下剤_{かんげざい}（便秘薬の1つで効き目が緩やかなもの）の効能効果を説明する際に 下痢のようなお通じと区別するもので、科学的にも製品の効能効果 が急ではなく、緩やかなので使用が認められます。

ほかに解熱鎮痛剤は、一般的な副作用として消化器への負担が大 きいのですが、この副作用を弱めた製品は「胃にやさしい」と表現 できます。科学的に認められた製品の性質の表現で、安全性は保証 していません。

一方で、「漢方製剤なので身体におだやか」のように、漢方や生薬 であることをやさしさとして表現することは禁止されています。こ ちらは科学的な根拠がなく、安全性の保証になっているためです。 他の製品と比較して科学的に事実の場合にだけ「おだやか」や「や さしい」が使用できると考えましょう。

○ 本製品は胃や腸にやさしい製品です
○ 本製品はおだやかなお通じをもたらします

安全性の保証

× 本製品はやさしい効き目で安心して使用できます
× 本製品は生薬由来で身体におだやかに効きます

科学的根拠のない表現

× 本製品はおだやかなお通じで安心して使用できます

安全性の保証

Q29 効能効果の即効性や持続性をアピールできる？

消費者は医薬品が速く、長く効くことを期待します。発現程度は人の主観や体質によって変わります。誤解を生じさせない正確な表現をすることが大切です。ここでは、①効き目が速いこと、②効き目が持続すること、③翌朝効果の3つの表現について説明します。

服用したあとに身体に効き目が出るまでの時間や生じている時間のことを「発現程度」といいます。適正広告基準には、効能効果の発現程度を表現する場合のルールがあります。

1 効き目が速いことの表現

効き目が速い遅いは、正確に記載する必要があります。人の考え方や体質によって変わるので、原則としてどのくらいの時間なのかはっきりわからない表現は禁止されます。

> どのくらいの時間か不明

✕ 飲めばすぐに効きます

✕ つらい症状に速効でアプローチ

> どのくらいの時間か不明

○ 服用後1時間程度で効果が生じます

> 薬事承認で認められた内容を正確に記載する

（1）「速く効く」と表現ができる医薬品と症状

以下の4つの特定の医薬品と症状については、（2）の条件を満たせば「速く効く」という表現ができます。これ以外の医薬品では表現できません。

◉「速く効く」と表現ができる医薬品

- ・解熱鎮痛消炎剤
- ・局所麻酔剤を含有する歯痛剤（外用）
- ・抗ヒスタミン薬を含有する鎮痒消炎薬（外用）
- ・浣腸薬

◉「速く効く」と表現ができる症状

- ・血管収縮剤を配合する鼻炎用の鼻みず・鼻づまり
- ・血管収縮剤を配合する点眼薬の結膜充血
- ・鎮痒剤配合の皮膚軟化薬（効能：かゆみを伴う乾燥性皮膚）の
  かゆみ　など

（2）「速く効く」と表現するための条件

① 薬事承認などで認められた効能効果、用法用量等の範囲内であること

当然ですが、薬事承認などで認められた用法用量での効き目であり、たくさん用いて速く効くようなことは認められません。

② 医学や薬学で十分に証明されていること

薬事承認があれば十分というわけではなく、学術上も速く効くことが証明されている必要があります。

③ 強調表現ではないこと

文字を強調するなどの表現はできません。また、キャッチコピーには用いることはできません。

✕　"あなたの症状に速く効く"　← キャッチコピーで表現

④ 剤型などの比較表現ではないこと

医薬品の形状を理由とする表現はできません。速く効く根拠は、②の学術的な証明が必要です。

> ✕ **本製品は液状なので速く効きます**
>
> 形状を理由とする表現

⑤ 使用前・使用後のような表現ではないこと

　使用する前と使用した後のように、婉曲的に速効性を表現することは禁止されています。

> ✕ **新幹線の新大阪駅で飲めば、京都駅では痛みがなくなります**

(3)「速攻」という表現

　2023年に公表されたルール[5]で、「速効（はやくきく）」ではなく、「速攻（はやくせめる）」という表現が認められるようになりました。ただ、速効と区別するために、「早めに対処する」という意味が明確になるようにすることが必要です。

> ◯ **速攻：風邪のひき始めに早めに対処します**

> ✕ **速攻で長く効きます！　※速攻を意味します**
>
> 全体を見ると「早く効く」意味になっている

② 効き目が持続することの表現

　効き目が持続する表現も、正確に記載する必要があります。これも「持続する」という言葉に対する人の考え方や、服用する人の体質によって変わるので、漠然と続くような表現は禁止されます。しかし、薬事承認などで認められた効能効果等、用法用量等の範囲内で、医学、薬学上十分に証明された場合は表現ができます。「速く効

5) 日本一般用医薬品協会　第26回OTC医薬品等広告研修会　講演資料
https://www.jfsmi.jp/ad_guideline/item/voluntary%20rules_2023.pdf

く」とは異なり、医薬品の種類によって限定されていません。

✕ **本製品は、服用後しばらくの間は効き目が続きます**

　　　　　　　漠然と効果が続くような表現

○ **決められた用法用量を守って適切に使用すると、効果が3日間は持続します**

薬事承認で認められた用法用量により
具体的な期間を記載する

❸ 「翌朝効果」について

　医薬品のなかには、就寝前に服用することで、就寝中に効果が発揮され、翌朝目覚めた時に、その効き目を実感するものがあります。このような医薬品の翌朝に生じる（感じる）効果を「翌朝効果」といいます。

　翌朝効果も、発現程度に関する表現の1つですが、緩下剤のように、薬事承認で就寝前の服用が認められている製品では表現できるとされています。ただし、効能効果の保証にならないようにする必要があります。

✕ **就寝前に服用すれば、必ず快適な目覚めを実感できます**

　　　　　　　効能効果の保証

Chapter
4

医療機器・美容健康家電の
広告・販売表示のQ&A

Q30 医療機器・美容健康家電とは？

医療や美容には様々な機器が使用されます。広告する製品が医療機器のときは薬機法のルールが適用されますが、全ての製品がそうではありません。適用される法令や自主基準を区別するために、まず、何が医療機器で、何が美容健康家電なのかを説明します。

① 医療機器とは？

薬機法は、医薬品をはじめ医療に関する様々な「物」に関する法律ですが、第2条の医薬品等の定義で機械や器具のことを「機器」としています。そのため、広告する製品が「機器」の場合は、**医療機器**に該当するかどうかの確認が必要になります。

医療機器は、以下の2つに当てはまる機器のことです[1]。

---

① 製品を使用する目的が以下のいずれか
  ・人／動物の病気の診断、治療、予防をするために使用されること
  ・人／動物の身体の構造・機能に影響を及ぼすこと
② 政令（薬機法施行令「別表第一」）で定めるもの

医療機器は、薬事承認を受けないと製造販売ができません。通常は製品のメーカーに聞けば確認できますが、それができないときは自分で判断するしかありません。まず上の②の表に掲載されている機器と共通する機能などを持つかを確認します[2]。該当するかの判断

---

1) 薬機法第2条第4項。
2) ②の表に掲載されているものには、「12. 理学診療用器具」のように、その中でさらに多数の製品に分かれているものがあります。詳細はPMDAのサイトなどで確認できますが、数も多いので、掲載されている機器と共通するものがあるかどうかの判断は慎重に行う必要があります。

が難しい場合は、①の目的を有しているかを検討します。

　対象の製品が医療機器に該当するときは、薬機法の広告ルールを守る必要があります。一方で、医療機器ではない場合は、薬機法の広告ルールは適用されませんが、医療機器であるような広告はできません（Q32参照）。

　医療機器は、大きく「医家向け医療機器」と「家庭向け医療機器」に分かれています。この区別は、一般消費者に向けた広告ができるかどうかに関わります（Q31参照）。

② 美容健康家電とは？

　医療機器ではない製品でも、市販されている美顔器のような美容健康家電は、家庭向け医療機器と似ている点も多く、一般消費者に誤解を与えやすい製品なので、一般社団法人日本ホームヘルス機器協会が広告について業界の自主基準を定めています。このルールに沿った広告をすることが推奨されます。

　自主基準では、美容健康家電を、以下の定義に当てはまる機器としています。

> ① 主に光線、電位、電流、音波、振動、吸引、蒸気等を利用し、人の肌や筋肉等に物理的な作用を与え
> ② 肌を健やかに保つ、筋肉をトレーニングする等の美容的・健康的効果を期待する

　市販されている美容健康家電は、その多くが該当することになるので、Q32の内容のほか、業界の自主基準の内容も確認しましょう。

Q31 医師や専門家向けの医療機器の広告はできるの？

医療機器には、医師のような専門家が使用する医家向け医療機器と、一般消費者が家庭で利用する家庭向け医療機器があります。ここでは、その違いと、広告をする際の注意点を説明します。

❶ 医家向け医療機器と家庭向け医療機器とは？

医家向け医療機器とは、医師のような専門家が使用する医療機器で、適正広告基準によると下の条件の全てにあてはまるものです。

---

① 医師・歯科医師・はり師等の医療関係者が自ら使用するか、これらの者の指示によって使用することを目的として供給される医療機器
② 一般人が使用するおそれがあるもの[3]
③ 一般人が使用した場合に保健衛生上の危害が発生するおそれのあるもの

その具体例として適正広告基準の解説には「原理及び構造が家庭向け電気治療器に類似する理学診療用器等」とありますが、一覧表のようなものありません。そのため、個別に都道府県の薬務課[4]などに確認することも必要です。

行政では医療機器の一般的名称（種類）で区別していて、一般的名称の説明のなかに、「医家向け」「医療用」などの文言があるものを、医家向け医療機器としています。

---

3) 「一般人が使用するおそれがない」ため医家向け医療機器ではないとされるものに、CT、MRI等の設置管理医療機器が挙げられます。
4) 東京の場合は、東京都福祉保健局薬務課。

一方で、家庭向け医療機器の定義はないため、「医家向け医療機器ではないもの」ということになります。医家向け医療機器に該当しない医療機器は、全て家庭向け医療機器です。

② 医家向け医療機器の一般向け広告は原則禁止だが、例外もある

医家向け医療機器は、使ってよいかどうかの判断や、実際の使い方、使用時の決まりなど、専門家の専門知識がないと使用者に危険が生じる可能性があるため、適正広告基準により医薬関係者以外の一般人を対象とする広告を行ってはならないとされています。

医療関係者しか閲覧できない広告は問題ありませんが、メディア広告やSNSを活用した広告は通常、一般消費者も閲覧できるのでできません。ウェブ広告の場合も、最初にポップアップで医療関係者向けサイトであることを表示させるなどの対応が必要です。

ただし、一部の医家向け医療機器については、**例外的に一般消費者への広告が認められています**[5]。具体的には、現状では以下の製品です。

- ○ 体温計
- ○ 血圧計
- ○ コンタクトレンズ[6]
- ○ 自動体外式除細動器（AED）
- ○ 補聴器
- ○ 設置管理医療機器
- ○ パルスオキシメータ

上記はあくまで例示で、一般人の日常生活のなかで使用されるこ

---

5) 医家向け医療機器の一般人向け広告を原則として禁止し、一部を例外的に解除するやり方で「ホワイトリスト型」といいます。
6) 薬剤を含有するコンタクトレンズは除きます。

とが想定される製品は認められる場合があるとされています。上記のなかでもパルスオキシメータは最近追加されたものです。そのため、判断に迷う場合は、個別に都道府県の薬務課などに照会して確認してみるのがよいでしょう。

❸ 情報発信活動の留意点

　例えば、プレスリリース・会社案内など企業活動を紹介する資材や、一般消費者や患者向けに行う疾患の啓発活動、投資家に対する情報提供など、いわゆる「**情報発信活動**」は、通常は広告には該当せず、規制されないと考えられることが多いです。

　ただし、一般消費者にとって製品の広告だと受け止められてしまう場合は、医家向け医療機器の一般消費者向けの広告、あるいは未承認の医療機器の広告になってしまう可能性もありますので、それを意識して情報発信活動を行う必要があります。

　例えば、病気に関する啓発活動であれば、内容は「病気、疾患の説明」が必要であり、「疾患に対する対処法」を記載するときは、一般的な対処法を公平に記載することが大切です。自社製品である特定の医療機器に誘導するような記載をすると、広告となってしまう可能性が高いので注意しましょう。また、「病気の診断・リスク」を記載する場合は、確定的な診断のような誤解を招く表現にならないように注意を払う必要があります。

Q32 非医療機器の広告で注意することは？

美容健康関連機器のような医療機器には該当しない機器を広告するときは何に気をつければいいでしょうか？　ここでは、医療機器ではない製品（非医療機器）の広告を行う際に注意しておくべきルールについて紹介します。

❶ 景表法のルール

非医療機器は、薬機法のルールの対象にはなりませんが、景表法が定める、広く事業者が消費者に対して提供する商品やサービスについての広告ルールの対象になります[7]。特に注意が必要なのは、Q9で説明した**優良誤認表示**と、**有利誤認表示**です。

❷ 医療機器であるかのような広告の禁止

美容健康家電のように、性能や特徴が医療機器と似ている製品で気をつける必要があるのは、何人も薬機法の承認や認証を受けていない製品の広告をしてはならないという薬機法第68条の規定です。

広告を見たときに医療機器だと誤解されてしまうと、医療機器に関する広告を行っているとされて、**未承認の医療機器の広告**になってしまうためです。

具体的には、医療機器の定義（Q30参照）の、①の内容が特に重要で、広告のなかに製品を使用する目的が以下のいずれかのような表現を避けることが大切です。

7）　医療機器も景表法のルールが及びますが、薬機法の内容がより厳しいため、製品の内容に関する薬機法のルールを守ることで景表法のルールにも応えることができるのが一般的です。

× 人／動物の病気の診断、治療、予防をするために使用される

× 人／動物の身体の構造・機能に影響を及ぼす

　美容や健康にかかわる機器の広告では、病気の治療や予防に役立つ、健康によい影響を与える、身体の機能を助けたり強化したりするといった表現が使われがちです。このような表現はNGです。

　例えば、以下のような表現は避ける必要があります。

× この製品は成人病の予防にも効果を発揮します

> 病気の予防

× これを使えば、あなたの筋力は大幅アップ！

> 身体の構造に影響を及ぼす

③ 美容健康家電の自主基準

　医療機器ではない美容健康家電には、業界の自主基準である「美容・健康機器広告ガイドライン」があります。自主基準といっても、一般消費者の誤解を防ぐための大切なルールなので、これに従うことが推奨されます。

　細かな内容はQ36を参照してください。

Q33 医療機器の効能効果・性能の表示で注意することは？

医家向け医療機器は一般人向けの広告ができないので、実際に広告をすることが多いのは家庭向け医療機器です。ここでは、広告で家庭向け医療機器の効能効果や性能を表現する場合に、特に気をつけなければならないポイントを1つずつ見ていきましょう。

1 承認を受けた範囲を超えた表現をするのは NG

医療機器も医薬品と同じく薬事承認が必要です。そのため、承認を受けた範囲を超えた効能効果や性能を表現することは禁止です。大原則であり、事実として認められる効果でも、承認等[8]を受けていない場合には表現することができません。

承認等を受けた効能効果がいくつかある場合に、そのうちの**一部のみ**を表現すること自体は問題ありません。ただし、それを特に強調したり、ある分野について専門的に使えるものだとしたりする表現は、承認等を受けた範囲を超えて、買い手を誤解させる可能性があるのでできません。

> **全身に効能がある製品において**
>
> ✗ 特に膝に使っていただくことがおすすめです
> ✗ この製品は肩専用の医療機器です
>
> **全身に効能がある製品において**

2 本来の目的以外の効果を表現するのは NG

医薬品と同じですが、いわゆる**副次的効果**と呼ばれる、医療機器

---

8) 承認等＝承認・届出。一般医療機器は承認は不要となり、届出になります。

の本来の効能効果に付随して生じる、本来の目的として期待された
ものではない効果を表現することは禁止されています。

　事実として、副次的効果があったとしても、承認を受けた範囲を
超えるような効果は広告に表示してはいけません。

血行を良くする効果は承認されていない製品において

　　✕　本製品には血行をよくする効果もあります
　　✕　足のむくみが取れるとつらい歩行も楽になります

足のむくみが取れることだけが
承認された製品において

❸　複数の製品を同時に広告するとき

　複数の製品を同時に広告するとき、例えば、取り扱っている製品
の宣伝を同じウェブページ上で行うときには、それぞれ、どの製品
にどんな効能効果・性能があるのかをはっきりと記載する必要があ
ります。

　　◯　A製品（肩こりの緩和）、B製品（血行をよくする）

　　✕　A製品、B製品（肩こりの緩和、血行をよくする）

どちらの製品の効能効果かわからない

　また、承認を受けている範囲を超えた広告は禁止ですから、製品
が相互に**相乗効果を得るような誤解**を招かないように、表現には十
分注意してください。

　　✕　A製品とB製品をあわせて使用すると肩こりの緩和だけで
　　　　なく、血行もよくなるのでおすすめです

4 病気と効能効果の表現

　医療機器の自主基準には、医療機器の効能効果について、医師／歯科医師の診断や治療によらなければ一般的に治癒が期待できないような病気（**特定疾患**）との関係では、一般向けの広告をする際に、その**病気の名前**を出した広告をしてはいけないというルールがあります。その医療機器を使用すれば、自分で病気を治せると誤解させるためです。具体的には、以下の病名を出して効能効果を広告する表現はできません。

・胃潰瘍	・高血圧	・肝炎
・十二指腸潰瘍	・低血圧	・白内障
・糖尿病	・心臓病	・性病　など

5 効果が出る時期・期間（発現程度）も正確に表現

　医療機器の場合も医薬品と同じく、使った後に実際に身体に効き目が出るまでの時間や生じている時間（発現程度）の表現に注意が必要です。ルールの内容は同じなので、Q28を参照してください。

6 医療機器の広告で注意が必要な表現

　医療機器の自主基準には、医療機器の広告でよく使われる様々な用語についての細かなルールがあります。基本的には、効能効果を保証したり、誇大な表現にしたりしないように注意が必要なものですが、以下の表現は、特に重要なものです。

4

医療機器・美容健康家電の広告・販売表示のQ&A

▼ 医療機器の広告で注意が必要な表現

健康管理	健康管理という言葉は、その医療機器の「使用目的」です。そのため、効能効果と結びつけると、完璧な健康管理ができるような誤解を与えやすいので、使わないようにしましょう。
遠赤外線	遠赤外線の効果を表現することはNGとされています。
セルフケア	「生活習慣病をセルフケア」のように具体的な病気予防を表現することはNGです。
治癒・根治・完治	このような「病気を完全に治す」という意味の言葉はNGです。
●●療法	医学において実際に確立された場合を除き、独自に会社名や人の名前を使って「●●療法」と表現することはNGです。
水素・活性水素	これらによる酸化・還元作用が人体に直接に作用する表現はNGです。
細胞の活性化	この表現はNGです。

Q34 医療機器の使い方は どう書けばいいの？

医療機器についても「使い方は簡単！」などとアピールしたいことがあると思いますが、誤った使い方を表現してしまうと、使用者に危険を招く可能性もあります。そこで使用方法の表現についても、広告ルールが定められています。

① 使用方法の表現

医療機器の使用方法や操作方法は、薬事承認で決められています。そのため、その範囲での表現しか許されません。誇張した表現や、表現したくない部分を小さい文字にするなどしてしまうと、誤解を与える表現として違法になってしまうため、留意してください。

注意が必要なのは、医療機器に複数の使用方法がある場合は、その複数の使用方法を省略せずに表現することが必要です。そのうちの1つの使用方法だけを表現することは不正確な表現になります。

> ✕ 電源に接続するだけで使用できます
>
> 本来は、洗浄等の手入れが必要

② 複数の医療機器の併用を表現することの禁止

医療機器には様々なものがありますが、同時に使用することで消費者に危険が生じる可能性があります。そのため、複数の医療機器を併用することの表現は、承認等の際に複数の医療機器の併用が認められた場合を除き、認められません。例外もありません。

○ この医療機器はＡ医療機器と併用することが認められて
います ← 薬事承認で併用が認められている機器において

✕ この医療機器は他の医療機器と併用しても問題ありません

③ 眠っている時に使うこと

　医療機器には、使用者が睡眠しながら使用することを表現しては
いけないという特別なルールがあります。医療機器は起きていると
きに使用することが前提になっているので、薬事承認で「眠りなが
らでも使える」ことまで認められていない限り、睡眠時に医療機器
を使用しているような表現はできません。文字だけでなく、写真や
イラストで眠っているときに使っているような場面を表現すること
も禁止されています。

　このルールで注意が必要なのは「寝ながら」という表現です。こ
れには睡眠している意味だけでなく、起きているが身体を横にして
いる意味もあるためです。睡眠している意味でなければ表現できま
すが、正しく表現できているか確認しましょう。

禁止される「睡眠」時の使用を表現

✕ 本製品を使って眠ると翌朝はすっきりです
✕ 本製品は寝ながら使用できます

睡眠の意味か、横になっている状態の
意味か区別できない

○ 身体を横にした状態で使用できます

④ 美容器具的・健康器具的な使用を強調するのは NG

　医療機器の承認を受けた範囲を超えた効果を表現するのはNG（Q33参照）であるのと同様に、美容器具のように使えること、健康用具のように使えることを強調することはNGです。例えば、家庭向け電気治療器を運動不足解消のために用いることができるかのように使用方法を書くことは禁止です。

　消費者は、美容目的で医療機器を使用する場合もありますが、広告ではそれを強調できません。このルールは、医療機器と美容健康関連機器の大きな違いになるので注意しましょう。

> ✕　この医療機器は、運動不足を解消します
> ✕　この医療機器は、痩身効果があります

4

医療機器・美容健康家電の広告・販売表示のQ&A

131

Q35 コンタクトレンズについて EC販売をしたい！

コンタクトレンズは、本来医家向け医療機器になりますが、一般人向けの広告が例外的に許されている商品です[9]。そのため、一般人向けに販売するECサイト等の表示では、気をつけなければならない点が多くあります。コンタクトレンズ協会の自主基準[10]には、特別なルールが定められていますので、確認していきましょう。

① 表示しなければならないこと

コンタクトレンズの広告には、記載しなければいけない事項があります。まずは、これを確認しましょう。

（1）承認番号

コンタクトレンズは医療機器なので、薬事承認のときに「承認番号」が定められます。音声ではなく視覚的な表現（文字や動画、写真など）で広告をする場合には、この承認番号を広告内に記載しなければなりません。ただ「厚生労働省」と書くと、禁止される「医療関係者の推薦」になってしまいますので（Q17参照）、端的に「医療機器承認番号●●」と書きます。

（2）使用及び取扱い上の注意喚起文言

使用上の注意が必要な医療機器の広告には使用者へ注意喚起をするための事項を記載することが必要です。コンタクトレンズの場合も、この使用上の注意を記載することが必要になります。

広告を行う媒体ごとに、表示の仕方も詳しく決まっています。こ

9）　薬剤含有コンタクトレンズは、一般向け広告はできません。
10）　https://www.jcla.gr.jp/membership/outline/voluntarystandard.html

こでは、文字で広告するときの記載の仕方を説明します[11]。

① 「高度管理医療機器」であることを記載する

推奨はゴシック体 10 ポイント以上

② 必ず「眼科医の処方に従って購入すること」を記載する

推奨はゴシック体 10 ポイント以上

③ 警告事項を記載する 推奨はゴシック体 8 ポイント以上

・装用時間を正しく守ること

・使用期間を守ること

・取扱い方法を守り正しく使用すること

・定期検査を受けること

・異常を感じたら直ちに眼科を受診すること

・破損等の不具合のあるレンズは絶対に使用しないこと

④ 「添付文書を必ず読むこと」を明示する

推奨はゴシック体 8 ポイント以上

2 使用（装用）方法の表現

コンタクトレンズの使用時間を表現するときは、「個人差があること」を必ず付記することが必要です。

また、コンタクトレンズには、起きている時に使い、就寝前に外す「終日装用」タイプと、眼科医に指示された期間内であれば就寝中も装用できる「連続装用」タイプがあります。

終日装用タイプの広告は、連続装用タイプのような誤解を招く表現は禁止されます。

✕ 着けっぱなしでも大丈夫です

✕ 長時間装用できます

---

11) テレビ・動画やラジオ・音声での広告を行う場合は別の基準があります。

連続装用タイプの広告は、以下の事項を明記することが必要です。

① 必ず眼科医の指示を受けてから装用を始めなければならないこと

② 連続装用ができない人がいること

③ 最長連続装用時間

○ 涙の量、アレルギー体質などが原因で連続装用できない場合もあります。最長2週間を限度として、眼科医の指示を守ってご使用ください。

❸ 使用方法、性能等、安全性に関する表現の禁止

　コンタクトレンズの使用方法について、承認を受けた範囲を超えた表現や、不正確な表現を用いて、性能や安全性について誤解を与えるおそれのある広告はしてはいけません。

　また、コンタクトレンズの性能や安全性について、承認を受けている範囲を超える認識をさせるような表現もしてはいけません。

✕ 安全なレンズ●● ◀━ 安全性の保証表現

✕ 角膜への影響はほとんどありません ◀━ 安全性の保証表現

✕ 世界中で多数の人々が快適な視力を得ています

❹ ファッション用品としての表示

　コンタクトレンズのなかには、いわゆるカラーコンタクトレンズのように、一般の消費者がファッションとして使用している側面もあります。しかし、あくまで医療機器ですので、美容器具のように使えることを強調することは禁止です（Q34参照）。

　一方で、コンタクトレンズのなかには、目（虹彩・瞳孔）の外観（色、模様、形）を変えることを使用目的や効果として承認を受けている製品もあります。その場合は、強調しなければ、その承認され

た範囲で表現することができます。

① 「虹彩又は瞳孔の外観（色、模様、形）を変えること」を使用目的
又は効果として承認を取得している場合

○ 目の色が変わる

× 目ヂカラUP ◀ 目力は目の色を変えることと無関係、承認の範囲を超えている

② 「虹彩又は瞳孔の外観（色、模様、形）を変えること」を使用目的
又は効果として承認を取得していない場合

× 目の色が変わる、目ヂカラUP

未承認の表現

4

医療機器・美容健康家電の広告・販売表示のQ&A

Q36 美容健康家電の効能効果の表現にはどんな規制があるの？

美容健康関連機器は、医療機器ではないので、薬機法は適用されません。しかし、医療機器に近い製品のため、業界が定める美容・健康機器広告ガイドライン[12] には様々なルールが設けられています。ここでは、それらを確認しましょう。

① 美容健康関連機器の広告

　美容健康関連機器は医療機器ではないので、法律としては景表法のルール以外は適用されません。そのため、優良誤認表示にならないように、実際よりも著しく優良であるような表現をしないことが基本です。しかし、美容・健康機器広告ガイドラインでは、医療機器のルールに準じた様々なルールを設けていますので、その内容を正しく理解することが必要になります。

② 美容健康関連機器の効能効果・性能

　美容健康関連機器は医療機器ではないので薬事承認もなく、承認を受けた効能効果・性能はありません。

　しかし、何でも自由に表現できるわけではなく、美容・健康機器広告ガイドラインでは、**概ね化粧品の効能効果の範囲と同じとされています**（Q39、Q44参照）[13]。そのため、化粧品の56種類の効能効果の範囲内で表現するようにしましょう。特に注意が必要なのは、医療機器でしか認められない効能効果にならないようにすることです。

　そのため、**身体の部位**を表現するときも、以下に挙げたもの以外の表現は避けたほうがよいでしょう。

---

12) 家庭向け美容・健康関連機器等適正広告・表示ガイド
https://www.hapi.or.jp/documentation/information/biyou_tekiseikoukoku_hyouji_guide.pdf
13) ただし、家庭用EMS機器の場合は、経皮的電気刺激による筋肉運動の範囲とされています。

> 頭皮、毛髪、肌、皮膚（角質層まで）、爪、ひげ、唇、口中、歯・歯のやに・虫歯・歯石

　病名や治療に関する表現は、未承認の医療機器の広告になってしまいますので、絶対にNGです。

　以下のような用語も使用してはいけません。

> 若返り・アンチエイジング・老化防止
> デトックス・代謝の向上・脂肪燃焼ができる
> しわが消える・美白
> リフトアップ・筋肉を肥大させる・たるみが気になる
> ターンオーバーを正常にする・肌のコンディションを整える
> セラピーを受けているような・リラックスすることができる
> 光脱毛器

　その他、以下の表に医療機器と比較して、できる表現／できない表現をまとめました。

◎ 美容健康関連機器での表現

副次的効果	事実であれば表現可能
複数の効能効果の一部のみ記載	可能
病名に関する記載	NG（医療機器と判断される可能性がある）
治療に関する用語（腰痛がよくなる等）	NG（医療機器と判断される可能性がある）
複数の製品を載せた広告	医療機器と同じで、それぞれがどのような効能効果があるか、性能があるかをはっきりと書く。相乗効果がない場合、あるように見られないように注意する
効能効果が発生する時間・期間	正確であれば書くことができる。「速く」などの表現も事実と変わらなければ禁止されない

❸ 特許の記載

　美容健康関連機器の広告には、薬機法が適用されないので、医療機器とは異なり、特許の記載もできそうに思えます。ただ、特許というのは技術に関するものなので、機器の性能とは関係ありません。そのため、美容・健康機器広告ガイドラインでは、医療機器と同様に特許の表現は禁止しています。

❹ 効能効果・性能や安全性の保証表現

　保証表現についてはQ15で説明していますが、美容健康関連機器の広告でも、使用者の年齢や性別を問わずに効果があることを保証したり、安全であることを保証したりする表現は、誇大広告になるので禁止しています。

❺ 使用体験談

　薬機法では、使用体験談には厳しいルールがあります（Q16参照）。美容健康関連機器についても、美容・健康機器広告ガイドラインで「薬機法・景品表示法の範疇を超えた内容の体験談の使用は避ける」べきとしていますので、医療機器の場合と全く同じです。使用方法や使用感、商品説明以外は表現できません。厳しいルールですが、業界では守られていますので違反しないようにしましょう。

❻ 専門家の推薦広告

　美容健康関連機器の広告では、医療機器のような推薦に関する厳しい規制はありません。そのため、医薬関係者（医薬関係者、理容師、美容師、病院、診療所、薬局、その他医薬品等の効能効果等に関し、世人の認識に相当の影響を与える公務所、学校又は学会を含む団体）が推薦していることを表現できます。

　ただし、虚偽広告や誇大広告にならないように、事実を正確に、誇大にならないように表現する必要があります。第三者の意見を使

うときは、誇大な表現になりがちなので、注意してください。

7 子どもが登場する広告

　小学生以下の子どもが製品を使用する場合の規制もありませんが、過度の利用や乱用助長を促すおそれのある広告になる可能性がありますので、その点にも留意が必要です。

8 比較広告

　他社の製品を誹謗することは禁止されていますが、医療機器とは異なり、他社製品との比較をすることは禁止されていません。そのため、事実やデータに基づき、製品のよい点や悪い点を客観的に表現することは可能です。Q23の「❷医薬品等以外の製品」に関するルールを確認しましょう。

4

医療機器・美容健康家電の広告・販売表示のQ&A

違法でなくてもやめたほうがいい表現

　本書では、医薬品や食品のように法令で定められている広告ルールを紹介しています。ただ、その他にも、やめたほうがいい一般的なルールもあります。

　まず、表現が犯罪になり得るような場合です。例えば、他社の名誉を棄損する表現、差別的な表現のほか、他社の業務を妨害したり、信用を傷つけたりするような表現がこれに当たります。また、犯罪行為を助長したり、賛美したりしているような表現も同じです。

　次に、人権侵害になるような表現です。具体的には、生命を軽視したり、人の尊厳を傷つけたりする表現、人のプライバシーを侵害する表現はしてはいけません。人種差別や性別差別につながるような表現、思想・信仰など個々人の内心を侵害する表現も許されません。

　また、「性」に関する表現は一般的にタブーとされています。露骨な表現は論外ですが、セクシャルハラスメントになり得る表現で炎上するケースも後を絶ちません。

　そして、いわゆる「公序良俗」に反する表現にも注意が必要です。公序良俗とは、公の秩序・善良な風俗のことです。内容は曖昧ですが、反社会的な勢力・行為に関する表現、醜悪残虐な表現、事件や事故に関する表現、死に関する表現、非科学的・迷信に類する表現は、一般的に、公序良俗に反するとされることが多いです。

　これらの表現は、誰かの気持ちを傷付けるものです。そのため、「この表現で傷付く人はいないだろうか？」といつも意識して、通常の社会常識を持っていれば十分に防げるものです。いつも広告を見る人の気持ちになってみること、これ以上に大切な心構えはありません。（早﨑）

Chapter

5

医薬部外品・化粧品の
広告・販売表示のQ&A

Q37 医薬部外品・化粧品とは？

医薬部外品と化粧品では、適用されるルールが異なります。そのため、これらの広告をする場合は、対象の商品が「医薬部外品」や「化粧品」に該当するかどうかを確認するのが大切です。ここでは、区別のために必要な医薬部外品・化粧品の定義を説明します。

① 医薬部外品とは？

医薬部外品とは、簡単に言えば医薬品と化粧品の中間にあるものです。さらに、①（従来からの）医薬部外品、②防除用医薬部外品、③指定医薬部外品の3つの種類に分かれています。

① （従来からの）医薬部外品

（従来からの）医薬部外品というのは、次のいずれかの目的のために使用される物で、人体に対する作用が緩和なものをいいます[1]。

> ・吐きけその他の不快感又は口臭若しくは体臭の防止
> ・あせも、ただれ等の防止
> ・脱毛の防止、育毛又は除毛

具体的には、人の身体に直接用いるもので、歯周病・虫歯などを予防する歯磨き、口内の消臭などのために使用される口中清涼剤、夏などの暑い日に使用する制汗剤、薬用化粧品（多数）、ヘアカラー、生理用ナプキンなどが該当します。

---

1) 薬機法第2条第2項第1号。ただし、医薬品となるものや機械器具等は除かれます。

② 防除用医薬部外品

防除用医薬部外品というのは、次の目的のために使用される物で、人に対する作用が緩和なものをいいます[2]。

> 人又は動物の保健のためにするねずみ、はえ、蚊、のみその他こ
> れらに類する生物の防除の目的

具体的には、殺虫剤、殺鼠剤、虫よけスプレー（忌避剤）などが該当します。

③ 指定医薬部外品

昔は①②に限られていた医薬部外品に、規制緩和により指定医薬部外品が追加されました。以前は医薬品でしたが、規制の緩い医薬部外品に移されたものです。下の表に記載される医薬品と同じ目的のために使用されるもののうち、人に対する作用が緩和なものになります[3]。

> ① 胃の不快感を改善することが目的とされている物
> ② いびき防止薬
> ③ 衛生上の用に供されることが目的とされている綿類（紙綿類を含む。）
> ④ カルシウムを主たる有効成分とする保健薬（⑲に掲げるものを除く。）
> ⑤ 含嗽薬
> ⑥ 健胃薬（①及び㉗に掲げるものを除く。）
> ⑦ 口腔咽喉薬（⑳に掲げるものを除く。）
> ⑧ コンタクトレンズ装着薬
> ⑨ 殺菌消毒薬（⑮に掲げるものを除く。）
> ⑩ しもやけ・あかぎれ用薬（㉔に掲げるものを除く。）

5

医薬部外品・化粧品の広告・販売表示のQ&A

---

2) 薬機法第2条第2項第2号。ただし、医薬品となるものや機械器具等は除かれます。
3) 薬機法第2条第2項第3号。

⑪ 瀉下薬

⑫ 消化薬（㉗に掲げるものを除く。）

⑬ 滋養強壮、虚弱体質の改善及び栄養補給が目的とされている物

⑭ 生薬を主たる有効成分とする保健薬

⑮ すり傷、切り傷、さし傷、かき傷、靴ずれ、創傷面等の消毒又は保護に使用されることが目的とされている物

⑯ 整腸薬（㉗に掲げるものを除く。）

⑰ 染毛剤

⑱ ソフトコンタクトレンズ用消毒剤

⑲ 肉体疲労時、中高年期等のビタミン又はカルシウムの補給が目的とされている物

⑳ のどの不快感を改善することが目的とされている物

㉑ パーマネント・ウェーブ用剤

㉒ 鼻づまり改善薬（外用剤に限る。）

㉓ ビタミンを含有する保健薬（⑬及び⑲に掲げるものを除く。）

㉔ ひび、あかぎれ、あせも、ただれ、うおのめ、たこ、手足のあれ、かさつき等を改善することが目的とされている物

㉕ 薬機法第二条第三項に規定する使用目的のほかに、にきび、肌荒れ、かぶれ、しもやけ等の防止又は皮膚若しくは口腔の殺菌消毒に使用されることも併せて目的とされている物

㉖ 浴用剤

㉗ ⑥、⑫又は⑯に掲げる物のうち、いずれか二以上に該当するもの

② 化粧品とは？

　化粧品とは、次のいずれかのために、**体に塗る・散布する**といった方法で使用することが目的とされている物で、人に対する**作用が緩和**なものをいいます[4]。

---

4) 薬機法第2条第3項。ただし、医薬品と同じ目的もあわせ持つものと医薬部外品は除かれます。

> 人の身体を清潔にすること
>
> 人の身体を美化すること
>
> 人の魅力を増すこと
>
> 人の容貌を変えること
>
> 人の皮膚若しくは毛髪を健やかに保つこと

　化粧品は、日常生活でも身近なものなので、医薬部外品と比べればイメージがしやすいものですが、範囲が広いので、医薬品や医薬部外品、雑貨と区別できるようにすることがポイントです。

● 化粧品の区別のポイント

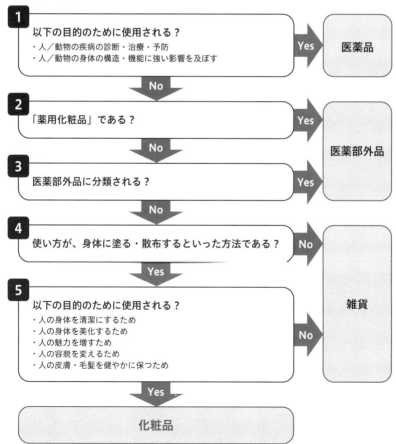

145

Q38 医薬部外品・化粧品の成分って どう書くの？

医薬部外品や化粧品の効能効果を訴求するため、原材料や成分について表現することも一般的に行われています。ある特定の成分を表現する場合や、特定の材料を添加していない「無添加」「未配合」等の表現についても、多くのルールがあります。

① 原則は虚偽、不正確な表現の禁止

広告のなかに製品の成分を記載するときも、基本ルールは事実を正確に記載することです。医薬部外品や化粧品の成分、分量、本質について、虚偽の表現、不正確な表現をすることは禁止されます。

② 特定成分の表示

例えば、美白の有効成分である「アルブチン」や保湿の成分である「ヒアルロン酸」といった特定の成分だけを取り出して、目立つように表現することはよくあります。成分の全部ではなく、一部だけを記載することは不正確な表現になってしまうのでしょうか？

一部の成分だけを表現することを「**特定成分の表示**」や「**特記表示**」といいます。条件を守れば表現できるとされています。医薬部外品と化粧品の場合に分けて、そのルールを説明します。

（1）医薬部外品の場合

医薬部外品の場合は、**承認された効能効果等と関連がある成分**に限り特記表示できます。関連がない成分はNGとなります。

（2）化粧品の場合

化粧品にはそもそも有効成分がありません。特定成分を表示すると、まるでそれが有効成分であるような誤解を与えるので、原則と

してNGとされています。ただし、以下の全ての条件を満たすとき
は、特定成分を表示することが認められています。

① 医薬品的印象を与えないこと

特定成分が医薬品のような印象を与えてはいけません。特に、成
分名のなかに「薬」の字が含まれるものは医薬品であるような印象
を与えるため、NGです。

✕ 配合成分「生薬エキス」「薬草抽出物」「薬用植物のエキス」

② 「配合目的」を明記すること

配合目的というのは、化粧品にその成分を配合させている目的の
ことで、成分名の近くに「保湿成分」のように記載したり、「保湿の
ために●●成分を配合」のように文章で表現します。

○ L-フェニルアラニン配合 (保湿成分)
○ メントール配合 (冷感成分)

✕ L-フェニルアラニン配合 ← 配合目的の記載なし

ただし、「植物成分」「植物抽出液」「海藻エキス」「動物成分」「
ハーブエキス」などの総括的成分の場合は配合目的を明記しないで
もOKです。

○ 植物成分配合
○ ハーブエキス

また、配合目的でも、有効成分だと誤認させる場合や、化粧品の
効能の範囲を超えて医薬品のような表示になる場合はNGです。

✕ 美肌成分	
✕ 美容成分	いずれも有効成分との誤認を与えるおそれ
✕ エイジングケア成分	
✕ 抗酸化・肌ストレス保護成分	いずれも化粧品の効能の範囲を逸脱
✕ 肌荒れ改善成分	

③ 特記表示する成分名称が一般消費者に理解できること

成分の名前は、一般的な名称で記載します。略号などで表示する場合は正式な名称をあわせて記載することが必要です。

✕ $(C_{14}H_{21}NO_{11})n$ ◀━ 化学記号のみ

○ $(C_{14}H_{21}NO_{11})n$ （ヒアルロン酸）

（3）具体的な記載例

ルールは上で書いたとおりですが、自主基準では、表示できる例とできない例が挙げられています。OKなものとNGなものを比較することで、何が問題になるかを検討して、許される表現のイメージも掴んでください。

① ビタミンなど

○ ビタミンC（製品の酸化防止剤）配合のクリームです

✕ ビタミンA、Dが肌あれを防ぎます
✕ 肌あれを防ぐ成分ビタミンA、Dを配合
✕ 乾燥した空気から肌を守り、肌あれを防ぎます（ビタミンA、D配合）
✕ ビタミンA、D（肌あれを防ぐ成分）を配合し、うるおいのあるしっとりした肌を保ちます

× グリチルリチン酸モノアンモニウム（消炎剤）配合クリームです ← いずれも医薬品的印象を与える

② エキス類

○ アロエエキスが肌にうるおいを与え、乾燥を防ぎます

○ うるおい成分アロエエキスを配合

○ 肌にうるおいを与え、乾燥を防ぎます（アロエエキス配合）

○ アロエエキス（保湿剤）が肌にうるおいを与え、乾燥を防ぎます

○ 肌にうるおいを与えるアロエエキスを配合しました

○ うるおいのアロエエキス、キュウリエキス、ヘチマエキスが肌にうるおいを与え、乾燥を防ぎます

× アロエエキスを配合した化粧水です。 ← 配合目的の記載がない

③ コラーゲン、アミノ酸等の保湿剤

○ 肌にうるおいを与え、乾燥を防ぎます（コラーゲン、アミノ酸配合）

○ コラーゲン、アミノ酸が肌にうるおいを与え、乾燥を防ぎます

○ ヒアルロン酸、プロテイン（保湿剤）が肌に潤いを与え、乾燥を防ぎます

○ 肌にうるおいを与えるプロテイン、グリセリンを配合しました

○ 冬の冷たい空気や冷房などの乾燥した環境から肌を守ってください。アミノ酸、ヒアルロン酸を配合した●●クリームが肌にうるおいを与え、すこやかな肌を保ちます

5

医薬部外品・化粧品の広告・販売表示のQ&A

④ 油分、ロウ類等（クリーム・乳液等の基剤）、メーキャップ化粧品の微粒子タルク、シルクパウダー等

○ 肌にうるおいを与え、乾燥を防ぎます（ホホバ油配合）

○ ホホバ油、ラノリンが肌にうるおいを与え乾燥を防ぎます

○ 肌にうるおいを与えるホホバ油、ラノリンを配合しました

○ 微粒子タルクが日ざしをさえぎり、日やけによるシミ・ソバカスを防ぎます

○ シルクパウダー配合により、のびのよい軽い感触が楽しめます

✕ ホホバ油配合のクリームです ← 配合目的の記載がない

③ 「無添加」など

　最近は含まれる物質に関する消費者の意識も高まっていますので、そうした意識に合わせて、メーカーも、余計な物質を含んでいない製品を作り、そのことを消費者にアピールすることがよくあります。具体的には、「●●無添加」といった表現です。

　ただし、こうした表現は消費者に誤解を与えがちので、業界の自主基準では、以下の条件を満たすことで表現できるとされています。

① 単に「無添加」等の表現はせずに、添加していない成分などを必ずはっきり記載すること

②「無添加だから安全」のような安全性の保証をしないこと

③ 添加している他社の製品を誹謗しないこと

④「無添加」等をキャッチフレーズのように強調して使用しないこと

⑤ その成分がキャリーオーバー成分[5] として含有されていないこと

5）　製品の原材料の栽培過程や製造工程において使用されたために残留している可能性がある成分のこと。

ポイントは、強調せずに何の成分を添加していないのかをはっきりと書くだけに留めることです。安全だとアピールしたり、他の会社の製品を批判したりするような表現は禁止されます。

無添加の成分の記載なし

✕ 無添加なので**安全です**　←　安全性の保証

✕ 他社製とは違って●●を添加していません

他社製品の誹謗

④ 成分の数の記載方法

　成分を記載するときは、数に関するルールを理解することも重要です。この場合のポイントも正確に事実を伝えることなので、「各種…」「数種…」といった表現は、配合されている**全部の成分を列挙する**ことが必要です。また、配合されている成分の数を記載すること、例えば、「10種のビタミンを配合」のような記載もできますが、数を強調することはNGです。

○ **各種成分を配合 配合成分a、b、c**

✕ **各種成分を配合**　←　含まれている全部の成分の記載なし

✕ **配合しているビタミンは10種類！！**　数の強調

⑤ 配合成分の名称・由来に関する「細胞」

　成分に関連して、広告のなかで「細胞」というワードを使用する場合の注意点があります。業界の自主基準では、配合された成分の名称や成分の由来として、「細胞」を使用するためには、客観的、科学的に認められている事実の範囲であることが必要です。ただし、細胞レベルで効果があるような印象を与えるので、特別な効能効果

があるような誤解を与えることは禁止されています。

- ✕ 幹細胞コスメ
- ✕ ●●細胞に着目した化粧品
- ✕ 細胞由来の力

⑥ 浴用剤の「成分」

医薬部外品に分類される浴用剤の広告では、業界の自主基準のなかで特に成分表示に関する細かなルールが設定されています。

(1)「生薬」「生薬製剤」を表示できる条件

浴用剤の広告のなかで「生薬」という言葉を使うときは注意が必要です。生薬を配合していること（生薬配合）を記載するためには、以下の全ての条件を満たさなければいけません。

◉生薬配合を記載するための条件

① 浴用剤の有効成分の一部に生薬が配合されている

② 承認された効能効果等と関連がある

③「医薬部外品」の文字が付記されている

②の条件のとおり、効能効果と無関係の場合は「生薬」は記載できません。③は全ての医薬部外品に必要な記載です。

次に、「生薬製剤」という表現をするためには、以下の全ての条件を満たすことが必要です。

◉生薬製剤と表現するための条件

① 浴用剤の有効成分の全てが生薬のみから構成されている

②「医薬部外品」の文字が付記されている

つまり、有効成分の全ては生薬の場合に限られます。②は全ての医薬部外品に必要な記載です。

(2) 禁止される表現の例

また、業界の自主基準では、有効成分について誤解を与える表現が禁止されています。以下のような表現がNGとされているので、注意してください。

✕ 漢方薬配合 ◀ 医薬品を連想させる表現

✕ 和漢薬配合 ◀ 医薬品を連想させる表現

✕ 有効成分●●イオン

Q39 医薬部外品・化粧品の効能効果を表現する基本ルールは？

適正広告基準の表に記載された効能効果を確認し、その範囲内にすることが基本ルールです。言い換え表現をする場合は同義語かどうかに注意が必要です。医薬品と同様に、しばりの表現や副次的効果の表現、複数の効能効果があるときの表現のルールがあります。

① 医薬部外品の効能効果の範囲

医薬部外品は薬事承認が必要なので、表現できる効能の内容も承認を受けた範囲内です。もっとも、適正広告基準では、「医薬部外品」「薬用化粧品」「新指定医薬部外品」の3種類ごとに効能・効果の範囲が記載されており、この内容を参考にするものとされています（次ページ以降の表）。

例えば、口中清涼剤のときは、効能効果は「口臭」、「気分不快」の防止なので、「口臭を防止できます」や「吐き気などの不快感を防止します」と表現できます。しかし、「胃をすっきりさせ不快感を防止します」と表現すると効能効果の範囲を超えます。

また、この際に、表に記載されている言葉とは別の言葉で言い換えることを「読み替え表現」といいます。例えば、口中清涼剤の効能効果に「口臭」とありますが、これを「お口の臭い」と言い換えることです。この場合、同義語になるなら別の表現をしても問題ありません。しかし、それ以外は禁止されています。

なお、3つの表の範囲内であっても、承認を受けた範囲を超える場合には許されないので注意が必要です。

◎ 主な効能の範囲

【医薬部外品】

医薬部外品の種類	使用目的の範囲と原則的な剤型		効能又は効果の範囲
	使用目的	主な剤型	効能又は効果
(1)口中清涼剤	吐き気その他の不快感の防止を目的とする内服剤である。	丸剤、板状の剤型、トローチ剤、液剤	口臭、気分不快
(2)腋臭防止剤	体臭の防止を目的とする外用剤である。	液体、軟膏剤、エアゾール剤、散剤、チック様のもの	わきが（腋臭）、皮膚汗臭、制汗
(3)てんか粉類	あせも、ただれ等の防止を目的とする外用剤である。	外用散布剤	あせも、おしめ（おむつ）かぶれ、ただれ、股ずれ、かみそりまけ
(4)育毛剤（養毛剤）	脱毛の防止及び育毛を目的とする外用剤である。	液剤、エアゾール剤	育毛、薄毛、かゆみ、脱毛の予防、毛生促進、発毛促進、ふけ、病後・産後の脱毛、養毛
(5)除毛剤	除毛を目的とする外用剤である。	軟膏剤、エアゾール剤	除毛
(6)染毛剤（脱色剤、脱染剤）	毛髪の染色、脱色又は脱染を目的とする外用剤である。毛髪を単に物理的に染毛するものは医薬部外品には該当しない。	粉末状、打型状、エアゾール、液状又はクリーム状等	染毛、脱色、脱染
(7)パーマネント・ウェーブ用剤	毛髪のウェーブを目的とする外用剤である。	液状、ねり状、クリーム状、エアゾール、粉末状、打型状の剤型	毛髪にウェーブをもたせ、保つ。くせ毛、ちぢれ毛又はウェーブ毛髪をのばし、保つ。
(8)衛生綿類	衛生上の用に供されることが目的とされている綿類（紙綿類を含む）である。	綿類、ガーゼ	生理処理用品については生理処理用、清浄用綿類については乳児の皮膚・口腔の清浄・清拭又は授乳時の乳首・乳房の清浄・清拭、目、局部、肛門の清浄・清拭。

(9)浴用剤	原則としてその使用法が浴槽中に投入して用いられる外用剤である。（浴用石鹸は浴用剤には該当しない。）	散剤、顆粒剤、錠剤、軟カプセル剤、液剤。粉末状、粒状、打型状、カプセル、液状等	あせも、荒れ性、打ち身（うちみ）、くじき、肩の凝り（肩のこり）、神経痛、湿しん（しっしん）、しもやけ、痔、冷え性、腰痛、リウマチ、疲労回復、ひび、あかぎれ、産前産後の冷え性、にきび。
(10)薬用化粧品（薬用石けんを含む）	化粧品としての使用目的を併せて有する化粧品類似の剤型の外用剤である。	液状、クリーム状、ゼリー状の剤型、固型、エアゾール剤	別掲（次の表を参照）
(11)薬用歯みがき類	化粧品としての使用目的を有する通常の歯みがきと類似の剤型の外用剤である。	ペースト状、液状、液体、粉末状、固形、潤製	歯を白くする、口中を浄化する、口中を爽快にする、歯周炎（歯槽膿漏）の予防、歯肉炎の予防。歯石の沈着を防ぐ。むし歯を防ぐ。むし歯の発生及び進行の予防、口臭の防止、タバコのやに除去、歯がしみるのを防ぐ。
(12)忌避剤	はえ、蚊、のみ等の忌避を目的とする外用剤である。	液状、チック様、クリーム状の剤型。エアゾール剤	蚊成虫、ブユ（ブヨ）、サシバエ、ノミ、イエダニ、トコジラミ（ナンキンムシ）等の忌避。
(13)殺虫剤	はえ、蚊、のみ等の駆除又は防止の目的を有するものである。	マット、線香、粉剤、液剤、エアゾール剤、ペースト状の剤型。	殺虫。はえ、蚊、のみ等の衛生害虫の駆除又は防止。
(14)殺そ剤	ねずみの駆除又は防止の目的を有するものである。		殺そ。ねずみの駆除、殺滅又は防止。
(15)ソフトコンタクトレンズ用消毒剤	ソフトコンタクトレンズの消毒を目的とするものである。		ソフトコンタクトレンズの消毒。

【薬用化粧品】

種類	効能・効果
(1)シャンプー	ふけ、かゆみを防ぐ。 毛髪・頭皮の汗臭を防ぐ。 毛髪・頭皮を清浄にする。 毛髪・頭皮をすこやかに保つ。 ┐ 毛髪をしなやかにする。 ┘二者択一
(2)リンス	ふけ、かゆみを防ぐ。 毛髪・頭皮の汗臭を防ぐ。 毛髪の水分・脂肪を補い保つ。 裂毛・切毛・枝毛を防ぐ。 毛髪・頭皮をすこやかに保つ。 ┐ 毛髪をしなやかにする。 ┘二者択一
(3)化粧水	肌あれ。あれ性。 あせも・しもやけ・ひび・あかぎれ・にきびを防ぐ。 油性肌。 かみそりまけを防ぐ。 日やけによるしみ・そばかすを防ぐ。(注1) 日やけ・雪やけ後のほてりを防ぐ。 肌をひきしめる。肌を清浄にする。肌を整える。 皮膚をすこやかに保つ。皮膚にうるおいを与える。
(4)クリーム、乳液、ハンドクリーム、化粧用油	肌あれ。あれ性。 あせも・しもやけ・ひび・あかぎれ・にきびを防ぐ。 油性肌。 かみそりまけを防ぐ。 日やけによるしみ・そばかすを防ぐ。(注1) 日やけ・雪やけ後のほてりを防ぐ。 肌をひきしめる。肌を清浄にする。肌を整える。 皮膚をすこやかに保つ。皮膚にうるおいを与える。 皮膚を保護する。皮膚の乾燥を防ぐ。
(5)ひげそり用剤	かみそりまけを防ぐ。 皮膚を保護し、ひげをそりやすくする。
(6)日やけ止め剤	日やけ・雪やけによる肌あれを防ぐ。 日やけ・雪やけを防ぐ。 日やけによるしみ・そばかすを防ぐ。(注1) 皮膚を保護する。

(7)パック	肌あれ。あれ性。 にきびを防ぐ。 油性肌。 日やけによるしみ・そばかすを防ぐ。（注1） 日やけ・雪やけ後のほてりを防ぐ。 肌をなめらかにする。 皮膚を清浄にする。
(8)薬用石けん（洗顔料を含む）	<殺菌剤主剤>（消炎剤主剤をあわせて配合するものを含む） 皮膚の清浄・殺菌・消毒。 体臭・汗臭及びにきびを防ぐ。 <消炎剤主剤のもの> 皮膚の清浄、にきび・かみそりまけ及び肌あれを防ぐ。

(注1）作用機序によっては、「メラニンの生成を抑え、しみ、そばかす防ぐ。」も認められる。
(注2）上記にかかわらず、化粧品の効能の範囲のみを標ぼうするものは、医薬部外品としては認められない。

【新指定医薬部外品】

製品群	剤型	効能又は効果	用法・用量	代表的成分
のど清涼剤	トローチ剤 ドロップ剤	たん、のどの炎症による声がれ・のどのあれ・のどの不快感・のどの痛み・のどのはれ	通常成人（15歳以上）1日3回	カンゾウ キキョウ セネガ
健胃清涼剤	カプセル剤 顆粒剤 丸剤 散剤 舐剤 錠剤 経口液剤	食べ過ぎ、飲み過ぎによる胃部不快感、はきけ（むかつき、胃のむかつき、二日酔・悪酔いのむかつき、嘔気、悪心）	通常成人（15歳以上）原則1日3回（内服液剤1日1〜3回）	ウイキョウ ケイヒ ショウキョウ ニンジン ハッカ
外皮消毒剤	外用液剤 軟膏剤	すり傷、切り傷、さし傷、かき傷、靴ずれ、創傷面の洗浄・消毒 ………………………… 手指・皮膚の洗浄・消毒	1日数回患部に適用（用時調製不可）	アクリノール エタノール 塩化ベンザルコニウム 過酸化水素

ひび・あかぎれ用剤（クロルヘキシジン主剤）	軟膏剤	ひび・あかぎれ・すり傷・靴ずれ	1日数回適量を患部に塗布	塩酸クロルヘキシジン グルコン酸クロルヘキシジン
ひび・あかぎれ用剤（メントール・カンフル主剤）		ひび・しもやけ・あかぎれ		dl-カンフル l-メントール
ひび・あかぎれ用剤（ビタミンAE主剤）		ひび・しもやけ・あかぎれ・手足のあれの緩和		酢酸トコフェロール ビタミンA油
あせも・ただれ用剤	外用液剤 軟膏剤	あせも・ただれの緩和・防止	1日数回適量を患部に塗布	酸化亜鉛
うおのめ・たこ用剤	絆創膏	うおのめ・たこ	患部にはる	サリチル酸
かさつき・あれ用剤	軟膏剤	手足のかさつき・あれの緩和	1日数回適量を患部に塗布	尿素
ビタミンC剤	カプセル剤 顆粒剤 丸剤 散剤 舐剤 錠剤 ゼリー状ドロップ剤 経口液剤	肉体疲労時、妊娠・授乳期、病中病後の体力低下時又は中高年期のビタミンCの補給	通常成人（15歳以上）1日3回限度（内服液剤は1日1回）	アスコルビン酸 アスコルビン酸カルシウム アスコルビン酸ナトリウム
ビタミンE剤		中高年期のビタミンEの補給	中高年 1日3回限度（内服液剤は1日1回）	コハク酸d-α-トコフェロール 酢酸d-α-トコフェロール d-α-トコフェロール
ビタミンEC剤		肉体疲労時、病中病後の体力低下時又は中高年期のビタミンECの補給	通常成人（15歳以上）1日3回限度（内服液剤は1日1回）	コハク酸d-α-トコフェロール アスコルビン酸

5

医薬部外品・化粧品の広告・販売表示のQ&A

ビタミン含有保健剤	カプセル剤 顆粒剤 丸剤 散剤 錠剤 ゼリー状ドロップ剤 経口液剤	(1)体力、身体抵抗力又は集中力の維持・改善、 (2)疲労の回復・予防、 (3)虚弱体質（加齢による身体虚弱を含む。）伴う身体不調の改善・予防、 (4)日常生活における栄養不良に伴う身体不調の改善・予防、 (5)病中病後の体力低下時、発熱を伴う消耗性疾患時、食欲不振時、妊娠授乳期又は産前産後等の栄養補給	通常成人 （15歳以上） 1日3回限度	アミノエチルスルホン酸 塩酸チアミン 塩酸ピリドキシン 塩酸フルスルチアミン リボフラビン
カルシウム剤	カプセル剤 顆粒剤 散剤 錠剤 経口液剤	妊娠授乳期・発育期・中高年期のカルシウムの補給	1日3回限度	クエン酸カルシウム グルコン酸カルシウム 沈降炭酸カルシウム 乳酸カルシウム

❷ 化粧品の効能効果の範囲

　化粧品は薬事承認が必要ないので、医薬部外品とは異なり、そもそも承認を受けた効能効果の範囲がありません。

　その代わり、化粧品の効能の範囲は概ね以下の表の通りとされています。言い換え表現に注意が必要なのことは医薬部外品と同様ですが、「補い保つ」は「補う」・「保つ」としてもよいとされ、「皮膚」と「肌」の言い換えは認められています。

　ただし、当然事実ではないことは表現できないので、例えば、毛髪に使用する化粧品の効能として「爪を保護する」と表現することはできません。

主な効能の表現

(1) 頭皮、毛髪を清浄にする。	(31) 肌にツヤを与える。
(2) 香りにより毛髪、頭皮の不快臭を抑える。	(32) 肌を滑らかにする。
(3) 頭皮、毛髪をすこやかに保つ。	(33) ひげを剃りやすくする。
(4) 毛髪にはり、こしを与える。	(34) ひげそり後の肌を整える。
(5) 頭皮、毛髪にうるおいを与える。	(35) あせもを防ぐ（打粉）。
(6) 頭皮、毛髪のうるおいを保つ。	(36) 日やけを防ぐ。
(7) 毛髪をしなやかにする。	(37) 日やけによるシミ、ソバカスを防ぐ。
(8) クシどおりをよくする。	(38) 芳香を与える。
(9) 毛髪のつやを保つ。	(39) 爪を保護する。
(10) 毛髪につやを与える。	(40) 爪をすこやかに保つ。
(11) フケ、カユミがとれる。	(41) 爪にうるおいを与える。
(12) フケ、カユミを抑える。	(42) 口唇の荒れを防ぐ。
(13) 毛髪の水分、油分を補い保つ。	(43) 口唇のキメを整える。
(14) 裂毛、切毛、枝毛を防ぐ。	(44) 口唇にうるおいを与える。
(15) 髪型を整え、保持する。	(45) 口唇をすこやかにする。
(16) 毛髪の帯電を防止する。	(46) 口唇を保護する。口唇の乾燥を防ぐ。
(17) （汚れをおとすことにより）皮膚を清浄にする。	(47) 口唇の乾燥によるカサツキを防ぐ。
(18) （洗浄により）ニキビ、アセモを防ぐ（洗顔料）。	(48) 口唇を滑らかにする。
(19) 肌を整える。	(49) ムシ歯を防ぐ（使用時にブラッシングを行う歯みがき類）。
(20) 肌のキメを整える。	(50) 歯を白くする（使用時にブラッシングを行う歯みがき類）。
(21) 皮膚をすこやかに保つ。	(51) 歯垢を除去する（使用時にブラッシングを行う歯みがき類）。
(22) 肌荒れを防ぐ。	(52) 口中を浄化する（歯みがき類）
(23) 肌をひきしめる。	(53) 口臭を防ぐ（歯みがき類）。
(24) 皮膚にうるおいを与える。	(54) 歯のやにを取る（使用時にブラッシングを行う歯みがき類）。
(25) 皮膚の水分、油分を補い保つ。	(55) 歯石の沈着を防ぐ（使用時にブラッシングを行う歯みがき類）。
(26) 皮膚の柔軟性を保つ。	(56) 乾燥による小ジワを目立たなくする。
(27) 皮膚を保護する。	※（56）に関しては、Q44を参照。
(28) 皮膚の乾燥を防ぐ。	
(29) 肌を柔らげる。	
(30) 肌にはりを与える。	

③ しばりの表現

　医薬品と同様に、医薬部外品・化粧品にも「**しばりの表現**」があります。例えば、薬用化粧品の効能効果の表を見ると、

> (3) **日やけによるしみ・そばかすを防ぐ。**
>
> (6) **日やけ・雪やけによる肌あれを防ぐ。**

とありますが、この太字部分が「しばり」です。

この場合、しばりの部分を省略することはできませんので、注意が必要です。医薬品に関する表現（Q28）も参照してください。

④ 副次的効果の表現、本来の効能効果ではない表現

医薬品と同様に「副次的効果」や「本来の効能効果ではない」表現も禁止されます。詳細は、Q28を確認してください。

⑤ 効能効果が複数あるとき

複数の効能効果を有する医薬部外品を広告する場合に、承認された効能効果のうちから、特定の1つの効能効果等を選んで、それだけを広告することがあります。このような表現はできますが、1つの効能効果の専用であるかのような誤認を与えないように注意してください。

⑥ 化粧品では薬理効果は表現できない

医薬品や医薬部外品とは異なり、化粧品には有効成分という考え方がなく、薬理作用（化学物質が生体の生理作用に変化を与えること）は認められません。そのため、**薬理作用の表現は禁止**です。

× **化粧品に含まれる成分Aが作用してあなたの肌を滑らかにします** ◀━ 薬理作用の生体への影響の表現

⑦ その他の様々な表現

医薬部外品や化粧品には、問題になる様々な表現がありますので、次のQ以下も確認するようにしてください。

Q40 化粧品のメーキャップ効果ってなに？

メーキャップ効果、物理的なメーキャップ効果とも、メーキャップ化粧品による見た目の変化のことです。化粧品の一般的な効能効果とは別のもので、事実であり、見た目の変化であることが明示できれば表現できますが、使用体験談では表現できないことに注意が必要です。

1 メーキャップ効果

（1）メーキャップ効果とは？

メーキャップ効果は、化粧をしたときの見た目の効果のことです。例えば口紅を塗るとくちびるに色が付き、ファンデーションを使えば頬に色が付きます。

化粧品にはQ39に示した、例えば「皮膚にうるおいを与える」などの効能効果をもつものもありますが、その他にも見た目を変える目的のものも多くあり「メーキャップ化粧品」と呼びます。正確には、①容貌を変えることを主な目的に使用するもので、②「ファンデーション類」「白粉打粉類」「口紅類」「眉目頬化粧品類」「爪化粧品類」のいずれかに属する、③色彩効果のある化粧品です。メーキャップ化粧品による色彩的な効果のことをメーキャップ効果（メークアップ効果、メイクアップ効果）と呼びます。

（2）メーキャップ効果の注意点

メーキャップ効果の広告表現で注意すべき点を見ていきましょう。

① メーキャップ効果は化粧品の効能効果とは無関係

化粧品の効能効果はQ39の表で確認した56種類が決められていますが、これは化粧品が人の身体に与える効果です。一方で、メーキャップ効果は、人の身体に一定の効果を与えるもではなく、ただ

見た目を変えるだけであり、化粧品の本来の効能効果とは関係なく表現することができます。

- 唇にうるおいを与える ← 実際にうるおいを与える =一般的な化粧品の効能効果
- 唇をみずみずしく見せる ← 見た目をみずみずしくするだけ =メーキャップ効果

② メーキャップ効果を表現できる条件

メーキャップ効果は、定義のとおり色彩的な効果で、あくまで見た目を変えるだけです。肌や唇など身体部分の組織そのものに影響を与えるような表現はできません。**外観的な変化**であることがはっきりわかる表現にする注意が必要です。もちろん、その効果が事実であることが必要で、実際には色彩的な効果もないのに表示することはできません。

○ みずみずしい肌に見せる ← 見た目を変えるだけ

× みずみずしい肌に変わる ← 実際に肌が変わるような表現

② 物理的なメーキャップ効果

(1) 物理的なメーキャップ効果とは？

メーキャップ効果は色彩的な効果とされていますが、例えばマスカラは、化粧品の成分が物理的にまつ毛に付着することで見た目のまつ毛を長くします。口紅のような色彩的な効果ではありません。このような「物理的な効果により見た目を変える効果」のことを「**物理的なメーキャップ効果**」といいます。

つまり、見た目を変えることが目的の化粧品には、色彩的な効果で変える場合と、物理的な効果で変える場合の2種類があり、区別

されています。

（2）物理的なメーキャップ効果の注意点

物理的なメーキャップ効果の表現ルールは、メーキャップ効果とは区別され、より一層注意が必要になります。というのも、化粧品で認められる56の効能効果は「成分が物理的に作用した」とも言えるためです。単に「見た目が変わる」と表現するとメーキャップ効果と区別できなくなり、単に「物理的な効果」と表現すると一般の化粧品と区別できなくなります。そのため、**物理的な効果で見た目**が変わる、ということを明確に表現することが必要になります。効果が事実であることが前提なのは当然です。

> 物理的な効果を表現
>
> ○ まつ毛にしっかり付着し、まつ毛が長く見える
>
> 見た目の効果であることを明示
>
> 見た目の効果でなく、身体に作用しているような表現
> 物理的な効果は表現できている
>
> ✕ まつ毛が長くなる
> ✕ まつ毛にしっかり付着し、まつ毛が長くなる
>
> 実際にまつ毛が長くなるような表現
>
> ✕ まつ毛が長く見える
> 見た目の効果とわかるが、物理的な効果とはわからない表現

❸ メーキャップ効果、物理的なメーキャップ効果の表現の注意点

（1）ビフォー・アフター図面・写真を使用できる

いわゆるビフォー・アフター図面や写真については、化粧品広告ガイドラインで「メーキャップ効果等の物理的効果を表現する場合」は**使用できる**とされています。ここでは「物理的効果」とされていますが、はっきり「メーキャップ効果等の」と書かれていますので、

メーキャップ効果、物理的なメーキャップ効果のいずれでも問題ないと思います。ただし、図面や写真で、色彩的な効果の違いを正確に表現することは難しいため、恣意的な表現にならないように注意してください。

（2）使用体験談でメーキャップ効果は表現しないほうがよい

使用体験談では、化粧品の効能効果を表現することはできません。一方、メーキャップ効果や物理的なメーキャップ効果は化粧品の効能効果ではないので、使用体験談で表現できるかどうかは問題です。

そして、この問題は化粧品広告ガイドラインや他のルールでもはっきりしていないのです。ただ、使用体験談で表現できるのは「使用感」（Q45参照）に限られ、その他は商品説明ができるだけとされていますので、メーキャップ効果なども**表現しないほうがよい**と思われます。筆者が東京都の担当者に確認したときも同様の回答を得ています。

Q41 浴用剤で温泉気分を広告してもいい？

浴用剤とは、いわゆる入浴剤のことです。入浴剤には、雑貨として薬機法のルールが関係のないものもあります。ここでは、医薬部外品になる浴用剤のルールを説明します。浴用剤工業会は、浴用剤の自主基準[6] を定め、以下の表現を禁止しています。

① 浴用剤の効果

浴用剤は、お風呂に入れて使うものですが、入浴には、**温浴効果**という身体や心をリラックスさせたり、緊張をほぐしたりする効果や、身体を清潔にする効果があります。浴用剤は、この効果を高めるものなので、それ以外の効果を表現することはできません。

例えば、病気の方が使用するときも、温浴効果による各症状の緩解を超えて、治療や予防ができるような表現は禁止されます。

> ✕ 湯治
> ✕ 血行促進薬用入浴剤
> ✕ 冬至の日にゆず湯に入ると風邪を引かないと言い伝えられている
> ✕ 柚子は風邪封じの湯

また、リラックス作用を超えて、精神の**鎮静効果**があるような表現も禁止されます。

6) 浴用剤（医薬部外品）の表示・広告の自主基準
https://www.pref.miyagi.jp/documents/27912/215364.pdf

> ✕ ●●の香りは<u>鎮静効果</u>があります
> ✕ ●●の香りはイライラを鎮めます
> ✕ ●●の香りは<u>ストレスを癒します</u>
> ✕ 森の不思議物質フィトンチッドの<u>鎮静効果</u>

効能効果は、入浴自体の作用にあるので、浴用剤に含まれる有効成分の効果ではありません。そのため、効能効果が有効成分の直接の作用であるような表現も事実ではないので禁止されます。

> ✕ 有効成分（生薬・炭酸ガス等）が、<u>血行促進・新陳代謝を活発化する</u>

② 表現の方法

浴用剤の広告では、効能効果の表現方法にもルールがあります。具体的な図表を使うことで、効能効果を保証するような内容にすることは禁止です。

> ✕ 入浴感グラフ（保温、血行促進、保湿感）
> ✕ 商品を入れたときと入れていないときのお湯の比較サーモグラフ

③ 温泉の表現

浴用剤の広告ならではのルールとして、温泉に関する表現にも注意が必要です。浴用剤を使用しても、実際に存在する温泉と同じになるものではありませんので、温泉と同じ印象を与える表現は虚偽表現か誇大表現になります。温泉の泉質に関する情報も浴用剤とは無関係なので、禁止されます。

> ✕ 温泉の湯が再現できるかのような表現
> ✕ 温泉地名を付したシリーズ浴用剤に関し、浴用剤毎に効能効果の一部を表示し、浴用剤毎に効能効果が異なるような認識を与える表現
> ✕ 温泉の泉質を示す表現

　温泉と同様に森林浴が再現できるかのような表現も禁止されますので、消費者に誤解を与えないかどうかを慎重に確認してください。

> ✕ お風呂がまるで森林に
>
> 　　「森林浴」とは書いていないが、お風呂と森林の組み合わせで森林浴を連想させる

5

医薬部外品・化粧品の広告・販売表示のQ&A

Q42 ビタミン剤・栄養剤の 広告ルールは？

ビタミン剤（新指定医薬部外品のビタミン含有保健剤）や栄養剤（滋養強壮保健薬）は、とても身近な製品で、広告を見る機会が多いものですが、少し複雑なルールがあります。

❶ ビタミン剤（指定医薬部外品のビタミン含有保健剤）

　ビタミン剤の効能効果を表現するときは、その効能効果の承認を受けているかどうかを、他の製品以上に慎重に確認することが必要です[7]。

　ビタミン剤の場合、効能効果は主な効能（主効能）と付随する効能（付記効能）に分かれます。原則として、承認を受けた効能等の全てを表現することが必要です。ただし、スペースが狭いようなときは、このうち一部だけを表現することもできます。そのとき、承認を受けた主効能等だけを表現するのはOKですが、付記効能等だけはNGです。付記効能は、必ず対応する主効能等とあわせて表現することが必要です。

❷ 滋養強壮保健薬、 ビタミン含有保健剤等の「疲れ」の表現

　栄養ドリンクなどの栄養剤（滋養強壮保健薬）やビタミン剤（ビタミン含有保健剤）には、消費者が疲れているときに服用するものがあります。このような製品の広告では、「疲れ」という言葉を表現することが多いでしょう。このとき、病気を治療できるような表現

---

7)　ビタミン剤の効能効果（主効能や付記効能）の承認の範囲の取扱いが変わり、平成29年3月31日よりも前に承認を受けた商品の広告では、承認を受けた事項の一部を変更することを求め、これが承認されるまでは、記載できないことに注意してください。

になりがちなので注意が必要です。

まず「疲れ」を表現できるのは、以下の製品に限られます。

> ・滋養強壮保健薬（いわゆるOTC医薬品）で「肉体疲労時の栄養
> 補給」「肉体疲労時のビタミン●●補給」「肉体疲労」等を効能
> 効果として認められているもの
> ・ビタミン含有保健剤（指定医薬部外品）
> ・ビタミンを含有する保健薬（指定医薬部外品）
> ・生薬を主な有効成分とする保健薬（指定医薬部外品）　など

上記製品でも「疲れ」の表現には、以下の点に注意が必要です。

①「精神的疲労」は使えない

肉体疲労に限られるので「精神的疲労」という言葉は使えません。

②「疲労回復・予防」に関する強い表現の制限

「疲れ」を表現する場合も、疲労の回復や予防といった「疲労」それ自体にスポットをあてる表現はできません。

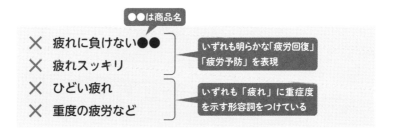

ただし、ビタミン含有保健剤（指定医薬部外品）のうち、効能効果として「疲労の回復・予防」の承認を取得した製品は、承認の範囲内なのでこの表現ができます。

③「**つらい疲れ**」

「つらい疲れ」のように「**つらい**」という言葉を使うことは禁止されていませんが、広告全体で重症度を表現している場合は、疲れている状態ではなく、病気の症状になってしまい、違法な表現になりますので注意してください。

❸ 「プレミアム処方」は商品名に含まれる場合のみ

英語で「高級」という意味になる「**プレミアム**」や「プレミア」という言葉も広告で使いがちです。指定医薬部外品で「プレミアム処方」という表現を使えるのは、販売名に「プレミアム」というワードを含んでいる場合だけです。広告表現として使用することはできませんので注意してください[8]。

商品名に「プレミアム」とついていても、効能効果を表現するものではないので、根拠を記載するなど、商品名以上の効果を保証するような誤解を与えることは禁止されます。

---

8) 広告表現・ガイドラインの変更点（2021年第24回OTC医薬品等広告研修会報告）
   https://www.jfsmi.jp/ad_guideline/item/guideline_change_point.pdf

Q43 医薬部外品の効能効果で使える表現は？

医薬部外品（医薬部外品・防除用医薬部外品・指定医薬部外品）の効能効果の広告には、医薬品などに共通するルールのほか、業界の自主基準が定める別なルールがあります。これらの広告でありがちな表現で、特に注意が必要なものを見ていきましょう。

1 「疲れ」という表現

医薬部外品[9] は、化粧品とは異なり、承認された効能効果があります。ただ、医薬品とは異なるので、病気を治療するような表現をしてしまうと、広告全体から医薬部外品の効能効果（Q39参照）を超えた表現になりがちです。注意してください。

> 「癒す」は病気を治すという意味があるので医薬品の効能効果になる

× 肌の疲れを癒す

× 顔に出た仕事の疲れに

> 「顔に出た疲れ」は身体に生じている状態で、これに「効く」というのは、身体の機能に影響を与えることになり、医薬品の効能効果になる

× 目の周りの疲れをやわらげ、肌の疲れをとりたいあなたに

> 「目の周りの疲れ」「肌の疲れ」も身体に生じた状態

2 「肌・毛髪への浸透」等の作用部位の表現

肌や毛髪に使用する医薬部外品の場合は、化粧品以上の効能効果が認められることもあります。ただ、医薬部外品では認められた範囲を超えてしまう表現になりがちなので、事実に基づき、承認を受

---

9) ビタミン剤についてはQ42を参照してください。

けた範囲で行いましょう。

しみを「減らす」効能は化粧水の効能の範囲を超えている

✕　肌の深部に浸透してしみを減らす化粧水
✕　毛根深く浸透して毛髪を再生する育毛剤

毛髪の「再生」は育毛剤の効能の範囲を超えている

③ 「予防」「治癒・回復・改善・快方・治る・治療・発毛・再生」等の表現

　例えば、「しわを改善する」などの表現をするときも、化粧品とは異なり、承認を受けた内容であれば表現できます。

　ただし、「治癒」「治療」のような表現は、「病気の治療」の意味で使われることが多く、不用意に使用すると認められた範囲を超えてしまうことが多い表現です。使用する場合には細心の注意が必要です。

「予防」は育毛剤の効能効果の範囲内

○　脱毛を予防する（育毛剤）

肌の「再生」は、乳液の効能の範囲を超える

✕　あの頃の肌に再生（乳液）
✕　虫歯ゼロ（薬用歯みがき）

薬用歯みがきの効能は虫歯の予防。「虫歯ゼロ」は虫歯を治療する意味になる

④ 「痩身・顔痩せ効果・スリミング・ファーミング・セルライト」等の表現

　広告のなかで「**痩せる**」といった表現は、身体の構造機能に影響を与える表現になるため、医薬部外品では**使用できません**。実際に違法な広告としてよく指摘を受ける表現なので、絶対に使用しては

いけません。表現できるのは、実際に痩せることではなく、メーキャップ効果による見た目だけの変化に限られます。

○　小顔に見えるメーキャップ効果

身体の構造を変化させるのは、医薬品の効能効果

×　ぐっと引き締めて
×　小顔印象へ

「印象」という言葉を使っても、見た目だけの変化を表現したことにはならない

⑤「デトックス・解毒」などの表現

「デトックス」という言葉はよく耳にすると思いますが、「解毒」という意味です。身体の中の有害なものをなくす効果を持っているのは医薬品に限られます。医薬品の効能効果があるような表現になってしまうので、医薬部外品の広告には**使用できません**。

⑥「ピーリング」などの表現

「ピーリング」は、洗浄やふき取りという意味もありますが、医療行為である「ケミカルピーリング」の意味もあります。単に「ピーリング」では医療行為かどうかわからないので、「洗浄・拭き取り行為などによる物理的な効果のこと」だとわかるように表現すれば、広告のなかで使うことができます。

○　お肌の古い角質を洗い流してやさしくピーリング。汚れが落ち、スッキリします
○　本商品をコットンにとり、お肌をそっとなでてください。いらなくなった古い角質をピーリングできます

5

医薬部外品・化粧品の広告・販売表示のQ&A

✕ お肌をピーリングできます

洗浄やふき取りの意味だとわからず、
医療行為のピーリングと解釈できる

❼ 薬用化粧品の「美白・ホワイトニング」などの表現

薬用化粧品の場合、化粧品とは異なり、美白効果の承認を受けている場合があります。その場合は、承認を受けている範囲で「美白」「ホワイトニング」という表現をすることができます。一方、承認を受けていない、または承認の範囲を超える場合は、メーキャップ効果として見た目の変化であることがわかるような表現しかできません。問題になることが多い表現なので、詳しく説明します。

（1）承認を受けた効能効果に対応した薬用化粧品の美白表現

承認を受けた効能効果として「美白・ホワイトニング」という表現を使う場合は、正しく「メラニンの生成を抑え、しみ、そばかすを防ぐ」「日やけによるしみ・そばかすを防ぐ」という承認を受けた効能効果をはっきりと記載しなければなりません。

○ この美白化粧品はメラニンの生成を抑え、しみ、そばかすを防ぎます ◀ 承認を受けた内容を明記

○ 美白 ※メラニンの生成を抑え、しみ、そばかすを防ぐ

注釈として明記することも可能

① 肌本来の色そのものが変化する（白くなる）表現はNG

✕ 黒い肌も徐々に白くするホワイトニング効果

✕ 使えば使うほど肌が白くなるホワイトニング効果

② できてしまったしみ、そばかすをなくす（治療的）表現はNG

✕ ホワイトニング効果でしみ、そばかす残さない

    ✕ ●●年間もあった<u>シミがこんなに薄くなるなんて</u>

    ✕ <u>シミをケアする</u>

③ 承認効能以外のしみ、色素沈着等にかかわる表現はNG

    ✕ 頑固なしみ、老人性斑点を美白 ┐

    ✕ ニキビ痕、炎症痕の黒ずみに   いずれも承認効能以外の表現

    ✕ ニキビ痕の色素沈着を防ぐ ┘

（2）承認を受けた効能効果を超えるNG表現

④ 肌質改善を暗示させる表現

    ✕ 美白が変われば<u>肌は変わる</u>

    ✕ <u>しみ、そばかすのできにくい肌に</u>

⑤ 効能効果の保証・最大級の表現にあたる表現

    ✕ <u>結果が見える</u>美白

    ✕ しみ、くすみが<u>目立たなくなり</u>美白効果を<u>実感</u>

    ✕ 美白成分が<u>●倍</u>浸透する美白美容液

      当社比であっても、数値を例示して比較することはできない

    ✕ 美白成分として<u>有効性と安全性を明確に実証</u>

⑥ 添加材を有効成分と誤認されるような表現

    ✕ ●●美白 ← ●●は保湿成分等の添加剤の成分名

    ✕ ●●配合、新しい美白の誕生です

（3）メーキャップ効果に基づく美白表現

    見た目の変化である**メーキャップ効果**だとわかる表現であれば、承認とは関係なく表現することができます。メーキャップ効果により肌を白く見せる、しみを隠すなどの表現です。メーキャップ効果

5

である旨が明らかでなく誤解を招く表現、メーキャップ効果の表現を超えて治療的な効能との誤認を与える表現はNGです。

○ しみ、そばかすを綺麗に隠し、お肌を白く見せます
○ お肌のしみを見えにくくカバーします

✗ 美白パウダーでしみ、そばかすが消える ◀── 治療的表現

8 「エイジングケア」表現

「エイジングケア」とは、加齢によって変化している肌状態に応じて、化粧品等に認められた効能効果の範囲内で行う、年齢に応じたお手入れのことをいいます。

ポイントは、年齢による肌の状態に応じたお手入れというところで、肌の状態自体を改善する意味ではないということです。そのため、年齢に抵抗する（老化防止・若返る）ような表現はできません。この違いを正しく理解して、認められない表現にならないように注意することが大切です。以下の具体例を参照して、2つの違いを区別できるようにしましょう。

（1）医薬部外品の効能効果の範囲内の表現

正しく「エイジングケア」を表現している例です。年齢に応じたお手入れを意味するものになっています。

○ 年を重ねた肌にうるおいを与えるエイジングケア

（2）医薬部外品の効能効果を超えた NG 表現

間違った使い方をしている例です。若返り、老化防止、しわ・たるみの防止など、問題になることが多い表現なので、使わないように気をつけてください。

① 若返り効果に関するもの

✕ 諦めないでください。エイジングケアで若さは再び戻ります

✕ 若々しい素肌がよみがえるエイジングケア

② 加齢による老化防止策に関するもの

✕ 肌の老化を防ぐエイジングケア

✕ アンチエイジングケア

③ 加齢によるしわ・たるみの防止、改善に関するもの

✕ しわやたるみを防ぐエイジングケア

④ 配合成分、作用機序の説明で老化防止を標ぼうしたもの

✕ 肌の老化と戦う抗酸化成分●●を配合、●●エイジングケア

⑤ 肌質改善し、老化防止を標ぼうするもの

✕ エイジングケアで衰えに負けない肌をつくる

⑥ 「エイジングケア」を個別の具体的な効能効果、または作用であるかのように表現したもの

✕ 肌のハリ、エイジングケア、保湿のために

> 効能効果である「ハリ」「保湿」と並べているため、エイジングケアが効能効果の意味になる

✕ エイジングケア成分を配合しました

5

医薬部外品・化粧品の広告・販売表示のQ&A

Q44 化粧品の効能効果で使える表現は？

化粧品は、医薬部外品と違って「承認された効能効果」はなく、効能効果として表現できるのは、56種類に限られています（Q39参照）。そのため、医薬部外品の場合と同じ表現をする場合も、できる範囲が異なるので、意識することがポイントです。

❶ 「疲れ」という表現

化粧品で、承認された効能効果に「疲れ」を含む表現はありません。そのため、「肌の疲れ」のような表現は、広告全体から化粧品の効能効果を超えた表現になる可能性が高いので、注意が必要です。

> ✕ 肌の疲れを癒す
> ✕ 顔に出た仕事の疲れに
> ✕ 目の周りの疲れをやわらげ、肌の疲れをとりたいあなたに

❷ 「肌・毛髪への浸透」等の作用部位の表現

肌や毛髪への浸透を表現するときは、以下のルールに従うことが大切です。

(1) 肌への浸透

化粧品が浸透する「肌」というのは角質層の範囲に限られます。単に「肌」と書くと角質層ということがはっきりしないので認められません。「肌の内側」という表現も、角質層のさらに内側という意味になってしまうのでNGです。

また、化粧品の効能効果の範囲を超えたり、効き目を保証する表現になったりしていないか注意するようにしてください。

○ 角質層へ浸透、角質層のすみずみへ

✕ 肌へ浸透、肌の内側（角質層）から
✕ 肌内部のいくつもの層　※角質層 ← 注記しても「いくつもの層」は角質層の意味にはなりません

（2）毛髪への浸透

　　化粧品が浸透すると表現できるのは、いわゆる「髪の毛」に限られます。難しく言うと「角化した毛髪」といいますが、**毛根は含まれません**。化粧品の効能効果の範囲を超えたり、効き目を保証したりする表現になりがちなので、注意します。

○ 髪の内部へ浸透
○ 髪の芯まで浸透

✕ 傷んだ髪へ浸透して健康な髪が甦ります
✕ 毛根に浸透し、美しい髪を生み出します

③ 「しわ」

（1）予防・解消等の表現

　　しわを防ぐ・消すといった表現は**化粧品の効能効果を超える**ものになるのでNGです。ただし、メーキャップ効果による見た目の変化（色彩効果・物理的効果による変化）であれば問題ありません。

○ メーキャップによりしわを目立たなくさせる

（2）「乾燥による小じわを目立たなくする」の表現

　　メーキャップ効果のほか、「潤いによって乾燥小じわを目立たなくさせる」という表現も、次の条件を満たせば可能です。

① 特定の効果が確認された商品に限る

② 「※効能評価試験済み」と商品に表記する

○ 皮膚の乾燥を防いで小じわを目立たなくします

○ キメを整えて乾燥による小じわを目立たなくします

成分名

× ●●が小じわの悩みを解消します

× 小じわを防いで美しい素肌を育てます

× 小じわを目立たなくします　※乾燥によるもの

注釈は不可

④ 医薬品のような表現は禁止

化粧品の効能効果として認められた範囲を超える、以下の表現は禁止されます。

× ① 治癒・回復・改善・快方・治る・治療・発毛・再生

× ② 効能効果としての「細胞・セル」などの表現

× ③ 痩せる・痩身・顔痩せ効果・スリミング・ファーミング・セルライト

× ④ デトックス・解毒

⑤ ピーリング

ピーリングは医薬部外品と同じで、医療行為である「ケミカルピーリング」と誤解されないようにすれば可能です。医薬部外品の箇所（Q43）を参照してください。

⑥ メーキャップ効果以外の「くすみ」の表現

「くすみ」という言葉を広告で使用するとき、「くすみを消す」と

いう表現は医薬品のような効果になるので使用できません。

しかし、くすんで見える要因をはっきりわかるように記載して、化粧品の効能効果の範囲を超えないように工夫すれば、使用できます。くすんで見える要因には、汚れの蓄積・乾燥・古い角質層などがあります。以下の例を参考に、問題にない表現にしてください。

○ 乾燥によってくすんで見える肌にうるおいを与え明るい印象に導く

○ 気になるくすみをメイクでカバー

× 肌のくすみを防ぎます　←「予防」できるかのような表現

× ストレスからくるくすみをカバー

　　　内的要因や肌色変化による表現

× シミ・そばかすを防いでくすみにくい肌に

　　シミ・そばかすを防ぐことによる表現

⑦ 「美白・ホワイトニング」などの表現

医薬部外品である薬用化粧品とは異なり、化粧品には美白効果はありません。そのため、見た目を変えるメーキャップ効果とわかる表現以外は使用できません。肌を白く見せる、しみを隠すなどはOKです。

○ しみ、そばかすを綺麗に隠し、お肌を白く見せます

○ お肌のしみを見えにくくカバーします

× 美白パウダーでしみ、そばかすが消える　←誤解を招く表現

× トラブルを抱えたお肌を白くする

　　　治癒的な効能

8 毛髪の損傷等の補修表現

　化粧品には、傷んだ毛髪を治療する効果はありませんが、化粧品が毛髪に浸透することにより、**物理的に補修**させる効果は認められた範囲です。そこをはっきりと表現すれば広告で表現できます。

　以下は、化粧品の広告で使用できる表現と禁止される表現の例です。

（1）使用できる表現

① 一般的な補修表現

○ 髪を補修して髪の質感を整える

○ 傷んだ髪の毛先まで補修してなめらかに

② 枝毛等の傷んだ髪の補修

○ 枝毛、裂毛、パサつきなどの傷んだ髪を補修

○ 枝毛をコートして補修

③ 髪の表面の補修表現

○ 髪の表面の凸凹を補修し、自然で美しいつや髪を

○ キューティクルをしっかり密着させてなめらかな状態に補修

④ 髪の内部の補修表現

○ ●●成分が髪の内部まで浸透し、髪のダメージを補修します。

○ 傷んだ髪の芯まで補修します。

⑤ 成分の特記表示の配合目的としての表現

○ 毛髪補修、保湿成分●●配合

○ 毛髪補修タンパク質配合

(2) 禁止される表現

① 補修という用語を用いた不適切表現

× 毛髪成分が傷んだ髪を補修し再生

× 傷んだ髪を補修してバージンヘアが甦る

② 補修という用語と類似した毛髪の損傷部分が治療的に回復するような表現

× 傷んだ髪を修復します

× 健康な髪が甦ります

⑨ 「エイジングケア」表現

エイジングケアの表現は医薬部外品と同じです。医薬部外品の箇所（Q43）を参照してください。

⑩ 「薬用」の表現は禁止

紛らわしい言葉ですが「薬用化粧品」というジャンルは、化粧品ではなく、医薬部外品の1つです（Q37参照）。薬用化粧品は、医薬部外品として一定の効能効果が認められていますが、通常の化粧品にはそのような効能効果はありません。そのため化粧品の広告では、販売名、販売名の略称・愛称、配合成分の名称、用法用量、効能効果等に「薬用」という文字を用いた表現はできません。

このような表現をすると、未承認の医薬部外品の広告になってしまい、違法の程度も重くなりますので、注意してください。

× 薬用●●洗顔料 ← 一般化粧品の販売名に「薬用」の愛称

× 薬用炭配合 ← 配合成分の名称に「薬用」の文字

× 薬用効果

Q45 「使用感」であれば何でも言える？

ここまで医薬部外品・化粧品の効果効能の表現について確認してきましたが、何度か出てきた「使用感」という言葉の定義について確認しましょう。「使用感」を正しく理解することは、口コミ広告を違法広告にしないための最重要ポイントになります。

❶ 「使用感」とは

「使用感」とは、製品の使い心地のよさのことです。例えば、さっぱり感・しっとり感などといった使用に伴う感想・印象や、キャップが開けやすい・コンパクトで持ち運びに便利などの商品の使いやすさ、デザインがかわいい・色がきれいなどの商品の見た目も、使用感に含まれます[10]。

> ○ 清涼感を与える
> ○ 爽快にする
> ○ べたつかない
> ○ 持ち運びがしやすい
> ○ デザインが可愛い

ただ、使用感には製品の「効能効果に関する」感想は含まれないことに注意が必要です。例えば、ある人が保湿成分を含む化粧品を使ってみて、実際に「肌にうるおいが生まれた」と感じたとします。しかし、この感想は使い心地のよさではなく、「製品の効果のよさ」の表現になるため、使用感ではありません。

もし、この人の感想を広告で使ってしまうと、効能効果に関する

---

10) 医療機器では、「使用感」のほかに「操作感」という言葉もありますが、意味は同じです。

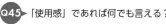

使用体験談になって、違法な広告になります。

② 「使用感」で効果効能を表現することは違法

　使用感は正しく理解すれば、嘘でない限り表現することができます。先ほどのように、オフィシャルサイトなどに「お客様の声」として口コミ広告を掲載するなど、活用できる場面は多いです。

　ただし、「使用感」という単語を使えば全て表現できるといった誤った解釈が広まっており、インターネット広告を中心に違法な広告が多く配信されています。特に、「使用感」といいながら、化粧品の効果効能について表現しているケースです。

　監督官庁は、広告の形式ではなく内容が実際は何を表現しているのかを確認しています。「感じる」「気がする」などと「使った感想」のように表現しても、製品の効能効果に関する内容となっていれば違法な表現と判断されます。

> ✕　小じわが消えたように感じる
> ✕　肌の疲れがとれたような気がする
> ✕　肌の内部に浸透していると思う

Q46 医薬部外品・化粧品が 安全なことを宣伝したい！

商品の安全性にこだわって開発した自社の商品が安全であることを宣伝することがあります。ここでは、商品の安全性を宣伝するときに気をつけるべきポイントについて確認しましょう。

❶ 安全性を保証することは禁止

　　Q15で説明したように、原則として製品の**安全性を保証する表現は禁止**されます。「この製品は絶対に安全です」「使っても不安はありません」のように、安全性を約束する表現、保証する表現はできません。

❷ 「アレルギーテスト済み」などの表現

　　医薬部外品・化粧品は、医薬品よりも気軽に使われますが、肌などの身体に直接使用するため、アレルギーを気にする人も多く、メーカー側もこれに配慮した製品を販売しています。

　　広告では、商品の**低刺激性**をアピールするために、「アレルギーテスト済み」「ノンコメドジェニックテスト済み」「皮膚刺激性テスト済み」「パッチテスト済み」などの表現が使われますが、誤解を与えがちなのでルールがあります。

① キャッチフレーズ・キャッチコピーとなっていないこと

　　キャッチフレーズやキャッチコピーは強調表現の一種で、安全性を保証する表現をそこに使うことは禁止されています。強調せずに表現することが大切です。

✕ "低刺激がうれしいね" ← キャッチコピー

② 注意書きを記載すること

アレルギーテストをしても、その結果が全ての人に当てはまるとは限りません。そのため、注意書きを「アレルギーテスト済み」などの表示付近に、同程度の文字の大きさで、目立つように記載する必要があります。

○ アレルギーテスト済み
全ての方にアレルギーが起こらないということではありません ← 注意書きを正しく記載

○ ノンコメドジェニックテスト済み
全ての方にコメド（ニキビのもと）が発生しないということではありません ← 注意書きを正しく記載

✕ アレルギーテスト済み ← 単語のみ
✕ ノンコメド ← 単語のみ

氾濫する違法広告に
複雑な思いを抱く人たちへ

　私は完全に職業病で、動画広告だろうと車内広告だろうと、広告を見ると、無意識に広告チェックをしてしまうのですが、化粧品や食品の広告で、違法な広告が氾濫していることにげんなりしています。特に、食品広告で「痩せる」と表現しているパターンがあまりに多く、近いうちにまた逮捕者が出るのではないかと危惧しています。

　多くの企業から広告チェックのご依頼をいただくのですが、企業の広告担当者も違法広告が氾濫しているのを知っているので、「自分たちはルールを守って攻めた表現をしていないのに、たくさんの会社が違法な広告をやっていて、彼らが処罰されないのは不公平で複雑です」といった率直な感情を耳にすることもあります。

　もちろん、私も違法広告がもっと取り締まられ、広告全体がよくなってほしいという思いがあります。ただ、消費者庁など多くの官庁の担当者らが、大量の案件の前に日々苦悩されていることも知っており、そこには自ずから限界もあります。

　広告担当者に伝えたいのは、ルールは誠実で美しい広告を生み出す土壌だということです。ルールを守りながらつくる広告には、消費者への気持ちや、その商品やサービスへの愛が込められているのです。違法広告を見て感じるのは、表現の違法性よりも、そこに満ちた消費者を騙そうとする意図や偽善的で醜悪な企業体質です。消費者への気持ちも商品やサービスへの愛もありません。ルールを守る広告者がすばらしいのは、ただルールを守るがゆえでなく、そういう気持ちをちゃんと持っているからです。その気持ちは、広告にふれる消費者に届いていると私は思います。（早崎）

Chapter

6

健康食品・サプリメント等の
広告・販売表示のQ&A

Q47 健康食品・サプリメントとは？

「健康食品」や「サプリメント」は、高齢化社会が進み、健康志向の人が増えている昨今ありふれた存在ですが、その言葉の定義を知っているでしょうか。くすりに近いイメージを持っている人や、一般の食品とは違って何らかの効能効果があると考える人も多いでしょう。まず、これらが何かについて正しく理解します。

❶ 口から取り込むもの

口から取り込むものには、医薬品や医薬部外品もありますが、日本では、医薬品と医薬部外品以外のものは全て「食品」になります。

健康食品やサプリメントも、口から取り込むものなので、医薬品や医薬部外品でなければ、**全て食品**になります。

口から取り込むもの	医薬品・医薬部外品
	食品

❷ 健康食品・サプリメント

（1）健康食品・サプリメントってなに？

では、健康食品・サプリメントには、一般的な食品と異なり、どんな特徴があるのでしょうか。ほとんどの人が知っている健康食品やサプリメントという言葉ですが、実は明確な**定義はありません**。

「**健康食品**」と呼ばれるものは、実は法律で定められている言葉ではありません。医薬品以外で、普段、私たちが口から摂取するもののうち、健康の維持・増進に特別な効果があるといって販売されている食品のことをいいます。

同じように、「**サプリメント**」という言葉も法律で定められている

ものではありません。一般的には、特定の成分が濃縮された錠剤やカプセルの製品のことをいいます。サプリメントも、健康のために摂取されることがほとんどなので、広い意味では健康食品の1つと考えることができるでしょう。

（2）「保健機能食品」とは？

　健康食品・サプリメントには、法律によって健康に効果があると認められたものと、そうではないものに分かれます。

　国は「保健機能食品制度」を定めていて、健康の維持・増進に効果があるといえるものを「**保健機能食品**」と分類しています。保健機能食品は、さらに「特定保健用食品」（いわゆる「特保」「トクホ」と呼ばれているもの）、「機能性表示食品」、「栄養機能食品」の3つに分けられます（Q50参照）。

（3）その他の健康食品・サプリメント

　健康食品やサプリメントと呼ばれていても、保健機能食品ではないものは「一般食品」になるので、その他の食品と同じです。野菜やお肉、お菓子やジュースといった食べ物と同じ扱いなのです。

　ちなみに、「栄養補助食品」「健康補助食品」「栄養調整食品」という言葉もよく耳にしますが、これらは法律用語ではありませんので、一般食品に含まれます。

6

健康食品・サプリメント等の広告・販売表示のQ&A

Q48 健康食品・サプリメントの 広告表示の基本ルールは？

健康食品やサプリメントなど食品の広告では、消費者がそれらを安心して使用できるように、法律でルールが定められています。健康食品やサプリメントの広告に関するルールの概要について説明します。

❶ 医薬品のような表現にしないこと

　食品の広告で、もっとも注意が必要なのは、医薬品のような表示にしないことです。食品は、医薬品と同じ様に身体に摂取（使用）するものですし、身体に一定の影響を与えるものと考えれば、医薬品と重なるところがあります。しかし、医薬品と食品は法律で全く別のものと区別されています。食品は、医薬品のように病気を治療したり、予防したりするためのものではありません。

　では、医薬品になってしまうのはどのような場合でしょうか。国の定める「医薬品の範囲に関する基準」[1]では、次の4つのポイントで判断するとしています。

> ① 物の成分本質（原材料）
> ② 物の形状
> ③ 物に表示された使用目的・効能効果
> ④ 物の用法用量

　①は医薬品の成分を含んでいること、②は形がアンプルになっているなど製品そのものに関することなので、食品の広告をするときに注意が必要なのは③と④です。この2つを見てみましょう。

---

1)　厚生労働省　https://www.mhlw.go.jp/content/000658257.pdf

（1）医薬品のような使用目的・効能効果を表示しない

　③の医薬品のような使用目的、効能効果になってしまう表現から見ていきましょう。医薬品は、**病気の治療や予防**のために服用しますし、**身体の機能を増強**したりする効果があります。食品の広告でそのような使用目的・効果を記載すると、一般消費者に医薬品であるような誤解を与えてしまいますので、絶対にそのような表現をしてはいけません。その結果、広告関係者が逮捕された事件も発生していますので、食品広告では特に注意が必要です。

> ✕ 花粉症の症状を楽にするお茶です
> ✕ がんの予防に効果が認められています
> ✕ このサプリを飲むだけでらくらく**ダイエット**
>
> 「ダイエット」「痩せる」は身体の構造機能に影響を及ぼすので医薬品的表示
>
> ✕ これを飲むだけで**筋力アップ**！
>
> 「筋力アップ」は身体の構造機能に影響を及ぼすので医薬品的表示
>
> ✕ 漢方薬の原料にも使われています

（2）医薬品のような用法用量を表示しない

　④の医薬品のような**用法用量**とは、例えば、使用方法として「食後」「食間」「投与」「服用」「点眼」「点鼻」のような表現です。医薬品の場合によく見る表現ですが、普通は食品では使用しません。一般消費者に医薬品であるような印象を与えてしまうので、使用してはいけません。この点はとても重要です。

② 食品の効果を表現するときの注意点

　食品の広告で、効果を表現するときのルールは健康増進法に定められています。そこでは「健康保持増進効果等」について、著しく事実とは異なる表示をすることと、著しく人を誤認させるような表示をすることを禁止しています。

「健康保持増進効果等」は、大きく「健康の保持増進の効果」と「内閣府令で定める事項」に分かれています。それぞれ4つずつあるので、全部で8種類に分かれます。

◯ 健康増進法に定める「健康保持増進効果等」の種類

健康の保持増進の効果	① 病気の治療・予防を目的とする効果
	② 身体の組織機能の一般的増強、増進を主たる目的とする効果
	③ 特定の保健の用途に適することの効果
	④ 栄養成分の効果
内閣府令で定める事項	⑤ 含有する食品・成分の量
	⑥ 特定の食品・成分の量
	⑦ 熱量（カロリー）
	⑧ 人の身体を美化し、魅力を増し、容貌を変える効果、皮膚・毛髪を健やかに保つことに資する効果

　この①〜⑧に関する表現をするときは、表現内容が実際とは著しく異なったり、誤解を与えたりしない注意が必要になります。

　ただ、法律ではわかりにくいのですが、①と②は、医薬品のような表現になってしまうので、そもそも表現が禁止されています。また、③は保健機能食品のうちの特定保健用食品・機能性表示食品でしか表現できず、④は特定保健用食品・機能性表示食品・栄養機能食品でないと表現できません。そのため、**一般食品では⑤〜⑧しか**表現できないことになります。

健康保持増進効果等	特定保健用食品機能性表示食品	栄養機能食品	一般食品
①	×	×	×
②	×	×	×
③	◯	×	×
④	◯	◯	×

⑤	○	○	○
⑥	○	○	○
⑦	○	○	○
⑧	○	○	○

この内容は、Q49で詳しく説明します。

3 景表法の優良誤認表示に違反しない

　食品にも景表法は当然に適用されます。通常、事業者が健康食品やサプリメントに効能効果を表示すると、一般消費者はその商品にはその表示通りの効果があると認識します。そこで、事業者がその効能効果が実際より著しく優良であると誤認される表示をした場合や、表示の裏付けとなる合理的な根拠がないにもかかわらず表示をした場合には、景表法違反にもなります（Q9参照）。

　例えば、「この商品を飲めば、医者に行かなくとも動脈硬化を改善！」とか、「何もしなくても、勝手に痩せていきます」といった表示です[2]。これらのような表示を見た消費者は、この表示内容を裏付ける科学的なデータがなくても、この商品を摂取さえすれば、病気が治癒したり、他に何もしなくても勝手に痩せたりすると勘違いしてしまう可能性があります。薬機法や健康増進法違反だけでなく、景表法違反にもなるので注意しましょう。

✕ 何もしなくても、勝手に痩せる

① サプリメントなのに医薬品的表示＝薬機法違反

② 実際にはそんな効果はない（裏付ける科学的データなし）＝景表法違反

6

健康食品・サプリメント等の広告・販売表示のQ&A

---

2)　これらの表示は、薬機法違反（医薬品的表示）になると同時に景表法違反（医薬品的効果がないのに表示しているので優良誤認表示）にもなりますが、実際には、医薬品的表示のケースは景表法違反として摘発されることが多いです。

Q49 食品の効果を広告するときの注意点は?

Q48で説明したように、食品の効果を広告するときは、食品の種類によってどんな効果を広告できるかどうかが変わります。健康食品やサプリメントを含む、食品の種類別の注意点をより詳しく見ていきましょう。

❶ 健康の保持増進の効果

「健康の保持増進の効果」とは、健康状態を改善する効果、または健康状態を維持する効果をいい、以下の4つに分かれます。表示できる食品の種類を確認し、該当する場合のみ表示できます。

① 疾病の治療・予防を目的とする効果

病気の治療や予防の効果があるような表示は、医薬品のような表現になるので、食品では一切禁止されます。

> ✕ 糖尿病、高血圧、動脈硬化の人に
> ✕ 末期ガンが治る
> ✕ 虫歯にならない
> ✕ 生活習慣病予防
> ✕ アレルギー症状を緩和する
> ✕ 花粉症に効果あり
> ✕ インフルエンザの予防に

② 身体の組織機能の一般的増強、増進を主たる目的とする効果

①と同じように、身体の機能を強めたりするような表現も、医薬品のような表現になるので食品では禁止です。

> ✕ 疲労回復
> ✕ 強精（強性）強壮
> ✕ 体力増強
> ✕ 食欲増進
> ✕ 老化防止
> ✕ 免疫機能の向上
> ✕ 疾病に対する自然治癒力を増強します
> ✕ 集中力を高める
> ✕ 脂肪燃焼を促進

　ただし、「健康維持」という表現は、身体の諸機能の向上を暗示するものですが、食品であることがわかり、医薬品だと誤解されなければ、医薬品的表示にはなりませんのでOKです。

○　この食品に含まれる●●成分は、健康維持に役立つ成分です

③ 特定の保健の用途に適することの効果

　特定保健用食品、機能性表示食品の場合は、表示が認められている事項を広告できます。具体的に、以下のようなものです。

ⅰ	容易に測定可能な体調の指標の維持に適する又は改善に役立つこと
ⅱ	身体の生理機能・組織機能の良好な維持に適する又は改善に役立つ旨
ⅲ	身体の状態を本人が自覚でき、一時的であって継続的・慢性的でない体調の変化の改善に役立つ旨
ⅳ	疾病リスクの低減に資すること（医学的、栄養学的に広く確立されているもの）

　ⅰとⅱは、「健康維持」の意味であることが容易にわかると思いま

す。ⅲは、身体機能を増強しているように見えますが、一時的な体調の変化を元の健康な状態に戻すという効果に過ぎませんので、②の一般的な増強増進とは異なります。ⅳは、**特定保健用食品のなかの一部にのみ**表示が認められます。疾病の予防のように見えますが、栄養成分によって疾病になりにくい状態（健康な状態）を維持するというものですので、健康維持の範疇に含まれています。

○ 本品はおなかの調子を整えます ← ⅱの例
○ コレステロールの吸収を抑えます ← ⅱの例
○ 食後の血中中性脂肪の上昇を抑えます ← ⅲの例
○ この製品は血圧が高めの方に適しています ← ⅰの例

成分名
○ 本品には●●が含まれます。●●には食事の脂肪や糖分の吸収を抑える機能があることが報告されています ← ⅲの例

④ 栄養成分の効果

これは食品表示基準の「栄養成分の機能」のことです。「●●は…（機能のある）栄養素です」といった表示になります。一般食品ではこのような広告も禁止されていますが、**保健機能食品**の場合は表示ができます。

○ **カルシウムは、骨や歯の形成に必要な栄養素です**

❷ 内閣府令で定める事項

内閣府令で定められている以下の4つの事項は、保健機能食品に限らずあらゆる食品の広告で表現できます。

⑤ 含有する食品・成分の量

含有する食品や成分の量を表示することです。

○ 大豆が●●g含まれている

○ カルシウム●●mg配合

⑥ 特定の食品・成分を含有する旨

その食品が特定の食品や成分を含んでいることの表示です。

○ プロポリス含有

○ ●●抽出エキスを使用しています

⑦ 熱量（カロリー）

食品の熱量（カロリー）です。

○ カロリー 50％オフ

○ エネルギー 0kcal

⑧ 人の身体を美化し、魅力を増し、容ぼうを変える効果、皮膚・毛髪を健やかに保つことに資する効果

　化粧品の定義と共通した美容効果を意味するものです[3]。美容というものは見た目の変化に過ぎず、人の身体機能とは関係ありません。明示されている皮膚・毛髪は人の身体のように見えますが、皮膚は人の器官ではあるものの人の身体機能を守る層という意味で身体機能と区別できるものですし、毛髪は毛母細胞が硬化したもので身体機能とは言えません。

　この「美容効果」については、ガイドラインなどでも詳細な説明がありませんが、あまり具体的に表現すると、特定保健目的がある

---

3) 「美容」自体の明確な定義はありません。要するに化粧品の効能効果にあるものを総称する表現が美容です。

ような表示となり、一般消費者の誤解を生む可能性があります。また、食品の効果は、身体に摂りこみ、内部から効果を生じさせるものなので、身体の機能に影響する表現になりがちです。そのため、表現には注意が必要です。

○ **美容のためにお召し上がりください**

Q50 トクホ、機能性表示食品、よく聞くけど違いってなに？

ひとことで健康食品といっても様々な種類があり、Q49で見たようにその種類に応じて広告で表現できる内容も変わってきます。ここでは、一般的な食品に比べて表現範囲が広く認められる保健機能食品について、その制度と定義を確認します。

① トクホとは

広告でもよく聞く「トクホ」ですが、正式には**特定保健用食品**といいます。からだの生理学的機能などに影響を与える保健効能成分（関与成分）を含んでいて、摂取することで、特定の保健の目的が期待できることを表示（保健の用途の表示）できる食品です。

特定保健用食品を販売するには、食品ごとに食品の有効性や安全性について**国の審査を受け、許可を得なければなりません**[4]。

なお、特定保健用食品の審査で要求している有効性の科学的根拠のレベルには届かないものの、一定の有効性が確認される食品があります。このような食品のために「**条件付き特定保健用食品**」というものもあります。

特定保健用食品や条件付き特定保健用食品として許可された食品には、専用のマークをつけることができます。

⊙ **特定保健用食品の許可マーク**

〈トクホの許可マーク〉　　　〈条件付きトクホの許可マーク〉

4） 健康増進法第43条第1項。

2 機能性表示食品とは

機能性表示食品制度とは、国の定めるルールに基づいて、事業者が食品の安全性と機能性に関する科学的根拠などの必要な事項を、販売前に消費者庁長官に**届け出**れば、その機能性を表示することができる制度です。

特定保健用食品とは異なり、国が審査を行わないため、事業者は自らの責任で、科学的根拠に基づいて適正な表示をする必要があります。

3 栄養機能食品とは

栄養機能食品とは、特定の栄養成分を補給するための食品で、その成分の機能を表示することができます。例えば「カルシウムは、骨や歯の形成に必要な栄養素です」のように、栄養成分の通常の機能を表示できます。

栄養機能食品は個別の許可申請を行う必要がない**自己認証制度**となっています。

▼機能に関する表示を行うことができる栄養成分

脂肪酸（1 種類）	n-3系脂肪酸
ミネラル類（6 種類）	亜鉛、カリウム※、カルシウム、鉄、銅、マグネシウム
ビタミン類（13 種類）	ナイアシン、パントテン酸、ビオチン、ビタミンA、ビタミンB1、ビタミンB2、ビタミンB6、ビタミンB12、ビタミンC、ビタミンD、ビタミンE、ビタミンK、葉酸

※ 錠剤、カプセル剤等の形状の加工食品にあっては、カリウムを除く

栄養機能食品として販売するためには、1日あたりの摂取目安量に含まれる当該栄養成分量が、定められた上・下限値の範囲内にある必要があるほか、基準で定められた当該栄養成分の機能だけでなく注意喚起表示等も表示する必要があります[5]。

　以上の3つが**保健機能食品**で、食品の持つ効果や機能を表示することができるものです。これら以外の食品は、食品の持つ効果や機能を表示することはできません[6]。

4　特別用途食品とは

　特別用途食品（特定保健用食品を除く）は、乳児の発育や、妊産婦、授乳婦、えん下困難者、病者などの健康の保持・回復などに適するという特別の用途（＝使われ方）について表示を行う食品です[7]。
　特別用途食品として食品を販売するには、その表示について消費者庁長官の許可を受けなければならず[8]、また、表示の許可にあたっては、規格又は要件への適合性について、国の審査を受ける必要があります。

●特別用途食品の許可マーク

6

健康食品・サプリメント等の広告・販売表示のQ&A

5）　食品表示基準第7条及び第21条。
6）　食品表示基準第9条。
7）　厳密にいえば、特別用途食品の1つが特定保健用食品（トクホ）なのですが、特別用途食品の表示内容は「特別の用途」であり、食品の効果や機能ではありません。
8）　健康増進法第43条第1項。

⊙4つの健康食品の比較

	特定保健用食品 （トクホ）	機能性表示食品	栄養機能食品	特別用途食品
国の審査	あり （消費者庁）	なし	なし	あり （消費者庁）
国への届出	あり	あり	なし	あり
マーク	あり （消費者庁許可）	なし	なし	あり （消費者庁許可）
対象食品	からだの生理学的機能などに影響を与える保健効能成分（関与成分）を含み、その摂取により、特定の保健の目的が期待できる食品	機能性関与成分によって健康の維持及び増進に資する特定の保健の目的（疾病リスクの低減に係るものを除く）が期待できる一般消費者向けの加工食品及び生鮮食品（容器包装に入れられたものに限る）	容器包装に入れられた一般消費者向けの加工食品及び生鮮食品であって、特定の栄養成分を含むもの（ただし、国が定めた下限・上限値の基準に適合していることが必要）	発育、健康の保持・回復など特別の用途に適する食品
対象者	主に疾病に罹患していない者			乳児、幼児、妊産婦、病者など

Chapter

美容や医療の
広告・販売表示のQ&A

Q51　エステサロンの宣伝をしたい！

いつの時代も、女性を中心とした美容への意識は高いものですが、インターネット広告が拡がるなかで、エステサロンやネイルサロンの広告が問題になるケースも増えています。ここでは、エステサロンなどの広告をするときの注意点を確認します。

❶ エステサロンの広告の注意点

　病院や医業類似行為（あん摩、はりなど）とは異なり、エステサロンの広告を直接規制する法令やガイドラインはありません。しかし、だからといってどのような広告も許されるというわけではなく、景表法などの、どの業種にも当てはまるルールを守る必要があります。事実ではない記載、実際よりも著しく大げさな内容の広告、キャンペーン価格などの価格に関するルールなど、景表法のルールには注意が必要です。

❷ 施術内容の広告

　エステサロンの広告でもっとも気をつけなければならないのは、施術内容の広告についてです。エステサロンのサービスは、顔や足など、人の身体を対象に行いますので、医師が行う医療行為との関係が問題になりやすいのです。

　特定の病気を治すといった病気に効果があることや、その症状の改善を広告で表現してしまうと、景表法の優良誤認表示規制に抵触するだけでなく、医師しか行うことが許されない**医療行為を行っているもの**と判断されるおそれがあります。この場合には、無免許営業として、単なる広告規制違反に比べて、非常に重い罰則が科される可能性があります。

　実際に医療行為を行わないことは当然ですが、広告をするときも、

そのような誤解を与えないことがとても大切です。

では、どのような行為が医療行為に該当するのでしょうか。これについて、最高裁判所は、医療行為とは「医療及び保健指導に属する行為のうち、医師が行うのでなければ保健衛生上危害を生ずるおそれのある行為」としています[1]。この内容をもとに、どのような施術が医療行為に該当してしまうおそれがあるのか、ポイントを挙げながら確認しましょう。

（1）その施術により利用者に危害が生じる可能性があるかどうか

まず、その施術によって、利用者に「危害」が生じる可能性があるかどうかがポイントになります。例えば、食事をしても喉に詰まらせることがあるように、どんな行為でも、全く危害が生じないことはありません。ただ、通常はその可能性は高くありません。一般的に考えた時に、危害が生じる可能性が一定程度あるのかどうか、という点で検討するのがよいと思います。

例えば、レーザー脱毛は強力な熱エネルギーを用いて、毛母細胞や毛乳頭を破壊します。そのため炎症をもたらすことがあり、医療行為に分類されます。一方で、光脱毛（フラッシュ脱毛）であれば、レーザー脱毛のように、組織を破壊するものではなく、あくまで発毛組織のはたらきを抑えるにとどまり、医師が行わなくとも、利用者に危害を生じるおそれが小さいので、医療行為には該当しないと整理されています。

（2）医療などの専門的な知識が必要になるかどうか

次のポイントは、その施術をするのに、医療などの専門的な知識が必要になるかどうかです。医療行為が医師の独占業務となっている（医師しかやってはいけないとされている）理由は、医師のように、専門的な教育と訓練をしっかりと受け、そのことを国から認め

7

美容や医療の広告・販売表示のQ&A

---

1) 最高裁令和2年9月16日決定（刑集74巻6号581頁）。

られた者でなければ、安全で、ちゃんと効果が出るようには業務を行えないと判断されるためです。

そのため、その施術行為に、医療の専門的な知識が必要になる場合は、医療行為になる可能性が高くなります。

(3) 病気の治療などを目的にしているかどうか

3つ目は施術の目的です。病気の診断、治療や症状の改善を目的にしているかどうかです。この目的がある場合、医師や有資格の整体師などの業務だと判断される可能性が非常に高いと言えます。したがって、このような記載は絶対にしないとともに、そもそも施術行為がこれらの行為になっていないかどうかの確認が不可欠になります。

なお、パッチテストという言葉を使うケースが見受けられますが、施術者がパッチテストを行うと医療行為になります。エステサロンでは、パッチテストは利用者が自分でやってもらうようにすることが必要になります。

また、多く見られる違法広告の例が、マッサージに関する記載です。あん摩マッサージ指圧は、有資格者以外は実施できません。

(4) 一般的に医師などだけが行っている業務かどうか

最後に、その施術行為が、大半のエステサロンで行われているかどうかという確認も必要になります。他の店舗との差別化のため、他のエステサロンでは実施されていない施術をアピールするケースもありますが、その行為が一般的に医師などによって行われている場合、医療行為などと判断される可能性が高くなります。

逆に言えば、広く多くのエステサロンで行われており、医師が行っていない行為であれば、医療行為などと判断されるリスクはかなり低いと言えます。ただし、単に違法な行為が広く行われているだけということもありますので、他の点とあわせて確認するようにしてください。

　以上が判断方法になりますが、個別のケースで変わってくるので、不安な場合は、専門家に相談するのが賢明です。さらに、医療行為やあん摩マッサージ指圧の他にも、資格がなければ行うことができない**医業類似行為**（はり師、きゅう師又は柔道整復師）もあるため、広告の際には注意が必要です。

③ 施術に使用する機器の広告

　エステサロンでは、脱毛や美顔のための機器を使用することが多く、特に、最新の機器を備えていることを広告でアピールすることも多いでしょう。このような機器を広告で記載する際には、それが**「医療機器」の広告**になっていないかに注意が必要です。

　「サロンの広告で、医療機器は紹介しているだけ」と考えがちですが、たとえ広告のごく一部であってもその部分は医療機器の広告になってしまうと、薬機広告のルールが適用されるのです。

　医療機器かどうかは、メーカーのサイトを見たり、問い合わせたりすればすぐにわかります。医療機器のときは、機器の記載を避けるか、Chapter4で医療機器の広告ルールを確認しながら表現してください。

　医療機器ではなく、美容健康関連機器の場合も、業界の広告ルールがあります。特に、まるで医療機器であるような広告をしてしまうと、未承認の医療機器の広告となるため注意が必要です。

④ 店頭で販売する商品の広告

　サロンでは、美容や健康に関する様々な商品が販売されています。リピーターを増やすため、店舗の**オリジナル商品**を販売することもあります。広告のなかでこれらの商品を扱う場合は、その種類ごとに以下の点に注意してください。

① 化粧品・医薬部外品など

　オリジナルシャンプーや、オリジナル化粧品などをOEMなどで

製造して販売したり、利用者におすすめの化粧品の広告をしたりする場合は、薬機法の**化粧品に関する広告ルール**が適用されます。そのためChapter5を参照してください。なお、製品が薬用化粧品の場合は、法律上は化粧品ではなく医薬部外品となります。

② **サプリメント、健康食品など**

　サプリメントや健康食品の広告をするときは、健康増進法など**食品に関する広告ルール**が適用されます。そのためChapter6を参照してください。食品の広告で「病気の予防のために」とか、「これを食べると病気が治ります」のような表現を目にしますが、このような「医薬品」であるかのような広告をしてしまうと、未承認の医薬品の広告として薬機法に違反することになり、リスクが非常に高いため、特に注意が必要です。

Q52 クリニックに関する 広告規制って？

同じ医療に関する広告でも、医薬品などの「物」の広告とは異なり、病院、クリニック、歯科医院など医療機関に関する広告規制は、少し特殊なものになっています。ここでは、医療機関の広告、いわゆる「医療広告」に関する規制内容を見ていきましょう。

医療広告に関するルールは、具体的には、①全ての医療機関広告において禁止される表示、②原則として広告することが許される限られた事項、③一定の要件を満たした際にのみ例外的に広告することが許される事項の3段階で構成されています。

❶ 全ての医療機関広告において禁止される表示

医療広告については、他の法令や広告ガイドラインで禁止される内容の広告はもちろんですが、特に、以下のような広告を厳しく禁止しています。

① 内容が虚偽にあたる広告（虚偽広告）

虚偽の広告は禁止されています。景表法でも当然に規制されるものですが、診察などの医療行為が、国民の健康や生命に大きな影響を及ぼすことから、さらに医療法やそのガイドラインで上乗せされて厳しく禁止されています。

> **医学上あり得ない表現**
> ✕ 当院は絶対安全の治療をお約束します
> ✕ 当院の治療はこれまで必ず成功してきました
> **医学上あり得ない表現**

✕ まるで効果があるかのように見せるため加工、修正された術前術後の写真を使うこと（→例1）

✕ データの使い方が虚偽の場合（→例2）

・データの根拠（具体的な調査方法）を明確にせずデータの結果と考えられるものだけを示すこと

・意図的に誘導された調査結果等公正なデータといえないもの

⬤ 例1

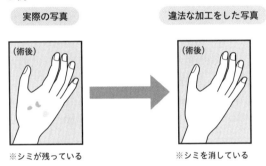

実際の写真　　　　　　　違法な加工をした写真

（術後）　　　　　　　　（術後）

※シミが残っている　　　　※シミを消している

⬤ 例2

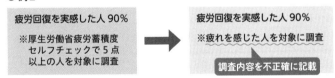

疲労回復を実感した人 90％

※厚生労働省疲労蓄積度セルフチェックで5点以上の人を対象に調査

疲労回復を実感した人 90％

※疲れを感じた人を対象に調査

調査内容を不正確に記載

② 他の病院や診療所よりも優良だとする広告（比較優良広告）

　他の病院などと比較する場合のルールです。「最高の病院」のような最上級の表現、「他の病院よりも圧倒的な技術で」のような優秀性について大きな誤認を与える表現は禁止されます。

　また、著名人との関連性を強調するなど、患者等に対して他の医療機関より著しく優れているとの誤認を与えるおそれがあるものも禁止されます。

- ✕ **A病院と比べてスタッフのレベルが違います**
- ✕ **どこよりも丁寧な接客が自慢です**
  具体的な病院名を挙げなくても比較優良広告になる
- ✕ **地域最高の医療技術を誇ります**
  「地域」が他の病院を指すことが明らか
- ✕ **最高の病院です**
- ✕ **当院は女優の●●さんの行きつけです**

　注意が必要なのは、客観的な事実を記載することは禁止されていないことです。ただし、監督官庁などから求められれば、広告した内容を裏付ける合理的な根拠を示し、資料を提出するなど客観的に証明しなければいけません。

　また、アンケート結果のような調査結果を引用するときは、出典、調査の実施主体、調査の範囲、実施時期などを広告のなかにあわせて記載する必要があります。「自社調べ」のような客観性が保てない方法はやめましょう。

③ 誇大な広告（誇大広告）

　大げさ（誇大）な広告も、景品表示法で禁止されていますが、虚偽広告と同じく、より厳しく規制されています。

　例えば、施設の規模、人員配置、提供する医療の内容等について、事実を不当に誇張して表現することや、人を誤認させる広告は禁止されています。この「誤認」というのは、広告を見た時に、一般人が広告内容から認識するだろう「印象」や「期待感」と、実際の内容との間に、常識的に考えれば違っているところがあるといえれば足りるとされています。そのため、実際に一般人が誤認しなかったとしても、違法な広告になってしまうので、注意が必要です。

7

美容や医療の広告・販売表示のQ&A

✕ 知事の許可を取得した病院です！

  特別な許可を得た病院であるかのような誤認を与える

✕ 当院の治療は比較的安全です ← 内容が不明確

✕ 表示時点後の状況の変化により、表示内容と実体とに乖離
  がある場合 (→例3)

✕ 広告内容の一部を小さな文字で表現するなど、常識的に考
  えてその条件を見落とす場合(自由診療の費用等)(→例4)

✕ 撮影条件や被写体の状態を変える等して撮影した術前術後
  の写真等

✕ 医学的、科学的根拠に乏しい文献やテレビの健康番組によ
  る治療や生活改善法等の紹介 (→例5)

🔽 例3

当院では経験豊富なスタッフ 10 名在籍

  表示した時点では在籍していたが
  現在は 3 人しか在籍していない

🔽 例4

▼治療のメリット
□□□□□□□□□□□□□□□□□□□□□□□□□□□□□□
□□□□□□□□□□□□
▼治療のデメリット
□□□□□□□□□□□□□□□□□□□□□□□□□□□□□□□
□□□□□□□□□

  デメリットだけ小さな文字

🔽 例5

文献でも認められた治療法です ← 実際には認められていない論文だった

④ 公序良俗に反する内容の広告

医療の現場を鮮明に描写してしまうと、怖くて直視できないと思われるものも多数考えられます。このように、残虐な表現やわいせつな図画や映像、病気で苦しむ人などへの差別を助長する表現が含まれる広告など、公序良俗に反する内容の広告は禁止されています。

✕ **●●病になってしまうと、生きていくのが大変です。ならないようにしましょう** ◀━ 特定の病気の人への差別を助長する表現

⑤ 患者等の主観に基づく、治療等の内容・効果に関する体験談

医療機関が、治療などの内容や効果に関して、患者自身の体験や家族などから聞いたことに基づく主観的な体験談を、その医療機関に受診させようとして紹介することは禁止されています。患者等の体験談の内容が、後述する❷の広告できる範囲であっても、認められません。

✕ **Aさんの声「痛みの少ない治療で身体への負担が大きくありませんでした」** ◀━ 治療内容に関する体験談

✕ **Bさんの声「こちらの先生に治していただき、すっかり元気になりました」** ◀━ 治療効果に関する体験談

✕ **Cちゃんの保護者の声「Cもつらくなさそうで、安心して治療を受けられたようです」** ◀━ 患者の家族もNG

ただし、患者や家族が、自分で運営しているウェブサイトや、SNSの個人のページに掲載する、第三者が運営している口コミサイトに投稿するなど、自分の意思で掲載している場合は広告ではありません。しかし、そのように見せかけるために、実際には医療機関が依頼をしていたり、広告料を負担したりすることは、ステルスマーケティングとなり、医療機関の広告とみなされるため認められません。

⑥ ビフォー・アフター写真

　ビフォー・アフター写真とは、治療などの前後の写真を比較できるようにする写真です。治療の内容・効果について患者などを誤認させるおそれがあるので、原則は表示が禁止されています。

　ただし、術前・術後の写真に、通常必要になる治療内容、費用に関する事項や、治療の主なリスク、副作用に関する事項などを詳細に説明すれば、掲載できます。

　その場合も、情報を掲載する場所が、患者にとってわかりやすいように十分に配慮することが必要です。例えば、リンクを張った先のページへ掲載したり、利点や長所に関する情報と比べて極端に小さな文字で掲載したりすると、患者にわかりにくいので認められません。

　なお、治療の効果に関することは、後述する❷の広告が可能な事項には当てはまりませんので、限定解除の対象でない限り、術前術後の写真の広告ができませんので注意してください。

⑦ 品位を損ねる内容の広告

　医療機関は、国民の生命を預かる非常に重要な使命をもっています。そのため、「治療費が安い」など費用を強調する広告や、「患者さんには●●をプレゼント」のような景品などを提供する広告など、医療の内容とは直接の関係がないことで来院をアピールする広告、ふざけた表現による広告は、医療機関全体の信頼を損なったり、患者さんによる医療機関選びに悪影響を与えたりするおそれがあるので、品位を損ねる内容の広告として、厳しく禁止されています。

> ✕　今なら0円でキャンペーン実施中！
> ✕　期間限定で●●療法を50%オフで提供しています
> ✕　●●治療し放題プラン
> ✕　無料相談された方全員に●●をプレゼント

② 原則として広告することが許される限られた事項

医療機関の広告では、そもそも広告できる内容が限られています。後述する❸の「限定解除要件」に当てはまらない限り、以下の事項しか広告できません。

◉ 医療機関で広告が可能な事項

① 医師又は歯科医師である旨

② 診療科名

③ 病院又は診療所の名称、電話番号及び所在の場所を表示する事項並びに病院又は診療所の管理者の氏名

④ 診療日若しくは診療時間又は予約による診療の実施の有無

⑤ 法令の規定に基づき一定の医療を担うものとして指定を受けた病院若しくは診療所又は医師若しくは歯科医師である場合には、その旨

⑥ 医師法第5条の2第1項の認定を受けた医師（医師少数区域経験認定医師）である場合には、その旨

⑦ 地域医療連携推進法人の参加病院等である場合には、その旨

⑧ 入院設備の有無、病床の種別ごとの数、医師、歯科医師、薬剤師、看護師その他の従業者の員数その他の当該病院又は診療所における施設、設備又は従業者に関する事項

⑨ 当該病院又は診療所において診療に従事する医師、歯科医師、薬剤師、看護師その他の医療従事者の氏名、年齢、性別、役職、略歴その他のこれらの者に関する事項であって医療を受ける者による医療に関する適切な選択に資するものとして厚生労働大臣が定めるもの

⑩ 患者又はその家族からの医療に関する相談に応ずるための措置、医療の安全を確保するための措置、個人情報の適正な取扱いを確保するための措置その他の当該病院又は診療所の管理又

7

美容や医療の広告・販売表示のQ&A

219

は運営に関する事項

⑪ 紹介をすることができる他の病院若しくは診療所又はその他の保健医療サービス若しくは福祉サービスを提供する者の名称、これらの者と当該病院又は診療所との間における施設、設備又は器具の共同利用の状況その他の当該病院又は診療所と保健医療サービス又は福祉サービスを提供する者との連携に関する事項

⑫ 診療録その他の診療に関する諸記録に係る情報の提供、その他の当該病院又は診療所における医療に関する情報の提供に関する事項

⑬ 当該病院又は診療所において提供される医療の内容に関する事項(検査、手術その他の治療の方法については、医療を受ける者による医療に関する適切な選択に資するものとして厚生労働大臣が定めるものに限る。)

⑭ 当該病院又は診療所における患者の平均的な入院日数、平均的な外来患者又は入院患者の数その他の医療の提供の結果に関する事項であって医療を受ける者による医療に関する適切な選択に資するものとして厚生労働大臣が定めるもの

⑮ その他前各号に掲げる事項に準ずるものとして厚生労働大臣が定める事項

③ 一定の要件を満たした際にのみ例外的に広告することが許される事項

特別な場合は、②の15種類の事項以外を広告することができます。特別な限定された場合に、広告ができるようになる(禁止が解除される)ので、限定解除と言います。

(1) 限定解除要件

特別な限定された場合というのは、「自由診療の場合」で、少しでも多くの正しい情報に触れられるようにしたほうが患者にとってメ

リットがあるため、特別に認められています。なお、自由診療では、未承認の医薬品等を使用することもできるので、使用する場合は要件がプラスされます。

自由診療の場合の共通の要件

① 医療に関する適切な選択に資する情報であって患者等が自ら求めて入手する情報を表示するウェブサイトその他これに準じる広告であること
　※誰もが自由に閲覧できるウェブサイトや、パンフレット等での広告を指します。
② 表示される情報の内容について、患者等が容易に照会ができるよう、問い合わせ先を記載することその他の方法により明示すること
③ 自由診療に係る通常必要とされる治療等の内容、費用等に関する事項について情報を提供すること
④ 自由診療に係る治療等に係る主なリスク、副作用等に関する事項について情報を提供すること

未承認医薬品等を自由診療に使用する場合に追加される要件

⑤ 用いる未承認医薬品等が、国内においては薬機法上の承認を得ていないものであることを明示すること
⑥ 医師等が未承認医薬品等を個人輸入する場合は、その旨を明記すること
　（具体的には、入手経路[2]、個人輸入していること、厚生労働省が注意喚起のために設置している「個人輸入において注意すべき医薬品等について」のページのURL[3] を明記）
⑦ 同一の成分や性能を有する他の国内承認医薬品等の有無を記載し、その国内承認医薬品等に流通管理等の承認条件が課されている場合には、その旨を記載すること
⑧ 当該未承認医薬品等が主要な欧米各国で承認されている場合は、各国の添付文書に記載された重大な副作用やその使用状況（承認年月日、使用者数、副作用報告等）を含めた海外情報についても、日本語でわかりやすく説明すること。主要な欧米各国で承認されている国がないなど、情報が不足している場合は、重大なリスクが明らかになっていない可能性があることを明示すること

（2）限定解除により広告が可能となる事項

　　　　限定解除が認められると、❷の15種類の事項以外でも、患者が医療を適切に選ぶことに役立つものであれば、広告ができるようになります。ただし、❶の禁止事項は守る必要があることと、未承認の医薬品等それ自体の広告はできないことには、注意してください。

7

美容や医療の広告・販売表示のQ&A

---

2) 入手経路は、同一の成分や性能を有する国内承認された医薬品等があって、同一の効能・効果で用いる場合であっても、明記することが必要です。
3) https://www.mhlw.go.jp/topics/bukyoku/iyaku/kojinyunyu/050609-1.html

◉限定解除により広告が可能となる事項の例

- ・「●●外来」との表記

- ・医薬品・医療機器の販売名

- ・治療効果（治療前、治療後（ビフォー・アフター）の掲載も含む）
  ※ただし、裏付け資料の提示が求められた場合、これに応じる必要がある

- ・学会が認定する研修施設であること

- ・「認定医」「指導医」「産業医」の表記

- ・「審美治療」

- ・手術件数

（以下は限定解除要件①〜⑧まで全て備えた場合）

- ・未承認医薬品・医療機器を用いた治療

- ・適応外使用

- ・再生医療（未承認医薬品・医療機器を用いる場合）

Chapter

8

実際の広告チェックの流れ

Q53 NGワード集で 広告チェックができる？

ここまで広告ルールを様々な角度から見てきました。Chapter8では、実務的な広告チェックのやり方を見ていきます。まず、多くの事業者がやっているNGワード集を使った広告チェックのやり方がよくないことを解説します。

1 NGワードでの広告チェックは間違い

　広告にはルールがあること、違反すると処罰されたり、公表されたりすることはほとんどの人が知っており、多くの事業者が広告チェックをしています。しかし、一般的な広告チェックのやり方を聞くと、次のようなやり方をしている会社が実にたくさんあります。「社内でNGワード集を用意していて、たくさんのワードを登録している」「言い換え表現集も用意している」「NGワードが見つかったら、言い換え表現例を当てはめて修正しているので問題ない」

　つまり、会社のなかでNGワード集を用意して、そのワードが含まれていないか確認し、もしあれば言い換え表現を使って直すことが、広告チェックだと広く思われているのです。ただ、ここまで本書を読んだ人なら、使ってはいけないワードというのは、広告ルールのなかのごくごく一部だとわかるはずです。そして、このやり方が特に問題なのは、広告チェックが正しくできないという点です。

(1) NGワードを言い換えただけでは意味が変わらない場合

　以下の例を考えてみましょう。製品はハーブティーです。

> ✕　本製品は花粉症の症状を改善します

　この例では、「改善」という言葉が使用されています。多くのNG

224

ワード集でも「治療、治癒、回復、改善…」は医薬品的表現になるので、NGとされています。では、言い換え表現によく書かれている「サポート」に言い換えてみるとどうなるでしょうか。

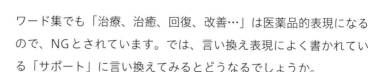

✕ **本製品は花粉症の症状をサポートします**

NG ワード集による言い換え表現例

これも違法な表現だとすぐにわかるはずです。なぜなら、花粉症の症状という**身体の機能へ影響を与える表現**になっているため、医薬品的表現になっているのです。つまり、単純に「改善」をNGワードとしても、広告チェックはできないのです。

（2）NG ワードがそもそもない場合

次のケースはどうでしょう？　製品はペットフードです。

・瞳が白く濁った犬の写真を使用

・写真の横に『年と共に変わっていく「ココ」』と記載

・ペットフードを摂取した後に、瞳の部分にキラキラのマークを入れた犬の写真を使用

・広告には、「白内障」や病気に関するワードも、治療、予防などのワードも一切使用していない

これは実際に問題になって、違反広告とされた事例です。理由は簡単で、この広告を見れば、多くの一般人は「このペットフードは犬の白内障の改善効果があるのだ」と思うからです。食品なのに医薬品のような効能をうたっていれば、違法になるのも当然です。しかし、このケースにNGワード集を使っても修正はできません。どこにもNGワードが含まれていないからです。

この事業者は、「白内障」をNGワードにして使わないために、広告の中でわざわざ「ココ」として意図的に病名の記載を避けていま

8

実際の広告チェックの流れ

すが、全く意味がありません。違法かどうかはワードではなく、広告全体で判断されるからです。ルールを正しく理解していなかったための悲劇です。

(3) 製品ごとに何が NG ワードかは変わる

もう1つのケースを見てみましょう。製品は医薬品です。

本製品は花粉症の症状を改善します

表現内容は（1）と全く同じですが、これは違法でしょうか？　製品がハーブティー（食品）ではなく、医薬品というところがポイントです。医薬品には、花粉症の症状を改善するものがあるので、同じ「改善」という言葉でも当然結論が変わります。

しかし、直ちに適法と考えることもできません。この「医薬品」は傷薬かもしれないからです。一般的に、傷薬に花粉症の症状を改善する効能はないでしょう。つまり、医薬品であっても製品の効能効果によって、表現が違法か適法かは変わってきます。あらゆる医薬品ごとに個別にNGワード集が作られていれば別ですが、そんなものを用意している事業者はほとんどいないでしょう。

② 正しい広告チェックのやり方

紹介したどのケースも、NGワード集を使って防げないものばかりです。広告ルールは、単にNGワードの使用を禁止するものではありません。ルールの内容を正しく理解して、製品ごとに変わる結論を考える必要があるのです。

広告が違法になると会社は大きなダメージを負います。広告ルールを理解するのは面倒くさいと思うかもしれませんが、急がば回れで、正しく理解することがもっとも早道です。次のQ以下では、よく問題になる場合について、正しいチェック方法を解説していきます。

Q54 広告チェックの基本的な心構えは？

広告チェックの正しいやり方は、広告規制のルールを正しく理解することにほかなりません。ここからは、特に重要なポイントごとに、広告チェックの正しいやり方を見ていきましょう。まず、もっとも基本的な心構えから説明します。

❶ 虚偽や誇張表現にしないこと

　　広告チェックをするときに、いつも意識しなければいけないもっとも大切な心構えがあります。それは、広告内容が事実でなかったり（虚偽表現）、事実よりも大げさ（誇張表現）になったりしないように意識することです。

　　そのため、自社製品の広告をするときは、広告する内容が事実であることを確認することが大切ですし、メーカーから依頼を受けて広告物を作成したり、チェックしたりするときも、メーカーから提供された資料を確認することが必要です。

　　景表法では、表現内容が事実であることをメーカーが証明しないといけません。ちゃんとエビデンスで証明できないときは、違法広告だとみなされてしまいます。

❷ どんなエビデンスが必要になるのか

　　では、どのようなエビデンスが必要になるのでしょうか？
　　実際に問題になった事例をもとに、見てみましょう。

◯例1【表示する内容（広告の内容）】

製品「包丁」
「使えば使うほど切れ味は鋭利になり」「研がなくても25年間、そのすばらしい切れ味は不変」

　この例の場合、表示内容が意味しているのは、その包丁が「継続して使用すると切断効果が増すこと」と「研がなくても切断効果が劣化しないこと」の2つです。エビデンスはこの2つを証明できるものが必要になります。

◯例2【表示する内容（広告の内容）】

製品「鼻を高くする医療機器」
「医学的な原理に基づいて、鼻の大部分を形成している軟骨と筋肉を根本的に矯正するように苦心研究のすえ完成されたもので、隆鼻した…鼻筋が通ってきたなど沢山の報告がある」

　表示内容は長いですが、要するに「鼻を高くする効果」「鼻筋を通す効果」です。この場合も、エビデンスはこの2つを証明できるものが必要になります。

❸ 客観的に実証されたエビデンスが必要

　エビデンスは何でもいいわけではありません。資料の内容から、表示内容が事実だと証明できないものはエビデンスになりません。景表法では「客観的に実証された内容のもの」が必要とされています。このルールは、医薬品等や食品でも同じです。
　このような資料は、大きく2種類に分かれます。

> ① 試験や調査をして得たもの（試験・調査によって得られた結果）
> ② 信頼できる人や機関によって示されたもの（専門家、専門家団体若しくは専門機関の見解又は学術文献・試験・調査によって得られた結果）

　①では、学術界／産業界で一般的に認められた方法で試験・調査をするか、関連分野の専門家多数が認める方法によって実施します。

　注意が必要なのは、試験や調査の資料に消費者の体験やモニターの意見を使う場合は、客観的な内容になるようにする必要があります。従業員やその家族のような事業者と利害関係のある人の体験談や、一部の意見だけを使用すること、一部の地域の少数の人の意見だけを使用することはできません。

　②では、特異な意見はエビデンスになりません。専門家などが専門的な知見に基づいて客観的に評価した見解や学術論文など、専門分野で一般的に認められているものでないといけません。

　先の例では、①の試験結果がエビデンスになります。具体的には、例1では、その包丁を研がずに10000回切断した後の刃の状態を示すレポートなどです。例2では、この医療機器を使用する前の鼻の高さ・鼻筋の形状と、1カ月間使用した後の鼻の高さ・鼻の形状を示すレポートなどが必要です。

　広告チェックをするときは、要件を満たすエビデンスがあること、それが事実であることを確認すると共に、正確な表現になっていることを確認しましょう。

④ 大げさな表現にしないためのポイント

　事実を表現しているつもりでも、表現の仕方によっては、誇大表現になってしまいます。

　事実を正しく表現していれば防げるものですが、「とても」「よく」など強調する形容詞を使うときや、最大級の表現をすると、実際よりも誇大な表現になりがちです。広告チェックをするときも、**強調**

8

実際の広告チェックの流れ

表現になっていないかどうかを確認することも重要です。

⑤ 図、写真、イラストのチェック方法

　広告では、図や写真、イラストを使用することがよく行われます。NGワード集では「文字」しか書かれていませんが、広告ルールは文字だけを対象にしていません。**図や写真も広告の一部**なので、広告ルールは適用されます。

　図や写真、イラストなどを使用するときの広告チェックに必要なのは、一般消費者がその図や写真、イラストを見た時に、どんな印象を持つか、どんな認識をするのかを想像することです。

　Q53で紹介したペットフードの例では、「瞳が白く濁った犬」の写真を見た消費者は、この犬が「白内障」だと認識するでしょう。それが写真やイラストの**表示内容**ですので、この表示内容も踏まえて広告ルールに違反するかどうかをチェックする必要があります。

Q55 医薬品的表現にならないように する方法は？

違法広告のなかでももっともリスクが高いのが「医薬品的表現」になることです。問題になることが多く、摘発されるケースのなかでも特に多い違法広告です。そこで、「医薬品的表現」にならないようにするための広告チェックのやり方を見ていきましょう。

❶ 医薬品的表現はハイリスク

　本書の複数の箇所で医薬品的表現について説明してきました。食品や化粧品などの広告で、医薬品のような表現をしてしまうことは、未承認医薬品の広告となってしまい、特にリスクが高いものです。

　しかし、実際には、このルールに違反して問題になるケースが実に多いのが現状です。数年前に逮捕者が出た事件でも、医薬品的表現が問題になりました。

　一般消費者の健康志向や美容意識は強く、病気で悩んでいたり、病気にならないように意識したりする人も多いため、どうしても「身体にいい」「病気にいい」「病気を治せる」「病気を防げる」「痩せられる」「筋肉がつく」といったことをアピールしがちなのです。

　医薬品、医療機器以外の広告では、医薬品的表現にならないように慎重にチェックすることが大切です。

❷ 医薬品的表現にしないためのチェック方法

　医薬品的表現が問題になるのは、製品の効能効果をアピールする場面です。「この製品にはこんな効果があるぞ」というのは、ほとんどの広告で表現される内容です。チェックするときは、そこが「医薬品的表現」になっていないかを意識するようにしましょう。

　再確認してほしいのは、医薬品の定義のなかの使用目的です。医薬品には、2つの使用目的が記載されています。

> ① 人／動物の疾病の診断・治療・予防に使用されること
> ② 人／動物の身体の構造／機能に影響を及ぼすこと

　この2つに当てはまりそうな効果を広告で表現すると、医薬品的表示になります。逆に考えれば、広告チェックをするときに、これに当てはまらないように注意すればよいのです。

（1）疾病の診断・治療・予防にあたる表現にならないようにする

　まず「疾病の診断・治療・予防」にならないようにする方法です。

①「病名」の記載をしない

　これまで見たように、一般的に食品など医薬品以外の製品の効能効果は病気とは関係ありません。広告のなかで病名を表現するだけで、医薬品的表示の疑いが強くなります。病気を連想させるような写真、イラストも同じです。広告チェックをするときは、**病名の記載がないか**を確認し、含まれる場合はすぐに修正しましょう。

　表現が「病名」にあたるのかの注意も必要です。例えば「日焼け」という言葉です。褐色の肌は健康的なイメージもありますが、日焼けは皮膚が紫外線を浴びることで、赤く炎症を起こす急性症状とされています。つまり、広い意味で疾病になるのです。このように、「病気だと思わなかった病気」というものはたくさんあり、自分の常識だけで判断せずに、チェックをすることが大切です。

◗「病気だと思わなかった病気」の例

> 慢性疲労、倦怠感、集中力の低下、不眠症、うつ症状、不定愁訴、アレルギー、消化不良、日焼け、皮膚のかゆみ、関節痛、下痢、体臭、頻尿　など

②「症状」の表現をしない

　病気の症状の表現にも注意が必要です。先ほどの日焼けのケースで言えば、「赤くなった肌」「ひりひりする（痛み）」などの表現は、病気の症状に関する表現になります。病名ではなくても、**病気の症状を表現すれば、病気に関する表現になる**ためです。このような表現があったときも、修正が必要になります。

(2) 身体の構造／機能に影響を及ぼす表現にならないようにする

　「身体の構造／機能に影響を及ぼす」ような表現にしない方法は、(1) よりも範囲が広く、より注意が必要です。文字通り人の身体の組織などの構造や、機能＝働きのすべてを含みます。

　例えば、**構造**は、内臓や筋肉も、肌、唇、爪も、すべてその一部です。**機能**には人が歩くこと、話すこと、見ることなど、全てが含まれます。これらに影響を及ぼすような表現は、医薬品的表示になります。「寿命を延ばす」「老化を予防する」も該当します。

　難しいのは、食品を摂取することで人は健康を保て、命を維持できるため、食品は当然に人の身体の構造や機能に影響を及ぼすように思えることです。チェックする場合には、①人の身体の部位または機能に関する表現があるかを確認して、②ある場合は「影響を及ぼす」ような表現になっていないか確認します。

③ 言い換えるための方法

　では、食品の効果をどのように表現すれば、問題がないようになるかのポイントを見ていきましょう。

　まず、**健康維持**の範囲になるように意識します。シンプルに「健康維持のため」と表現するのが一番安全ですが、より踏み込んで表現したい場合は、食品の効果を期待できる、日常生活の自然との関わりの場面に置き換えて考えてみるのが、使える表現を見つけるのに有効なやり方です。

　病気の原因の多くは自然界に存在するものです。例えば、「日光」

は皮膚がんの原因になります。しかし、人が日常生活で日光と関わること自体は、健康に有益な面もあり、病気に直結するわけではありません。中立な言葉が見つかれば、健康維持の範囲で適切な表現を思いつくことが多いです。さらに身体の構造／機能には影響を及ぼさない表現にします。このようにして、例えば肌を健康に保つ効果のある食品の広告では、「強い日差しと肌のおつきあい」と表現することは、健康維持の範囲と考えられます。

　病気を予防するのではなく、（今の）**病気ではない状態を保つ**と言い換えます。実際には病気を予防する意味も含まれますが、これは問題のない表現です。例えば以下のような表現はOKです。いずれも現在のよい状態を続けるという意味で、人の身体に影響を及ぼす表現ではありません。

- ○ **安心で健康な生活を続ける**
- ○ **食生活を健康で快適にする**
- ○ **美しく身体を保つ**

④ 医薬部外品の場合

　医薬部外品は、薬事承認が必要なので、承認を受けた範囲内であれば、医薬品的表示もできます。逆に、承認を受けた範囲を超えた効能効果をアピールできないので、医薬品的表示にならないように意識するよりも、表示する効能効果が**承認された範囲内**かどうかをチェックすることが大切です。

Q56 その他の重要ポイントの チェック方法は？

医薬品的表現以外にも、効能効果に関する表現、保証表現など、問題に
なりやすい表現があります。ここでは、そのような重要なポイントに関
するチェック方法を見ていきましょう。

1 効能効果の表現のチェック方法

（1）医薬品、医療機器、医薬部外品、再生医療等製品の場合

　「医薬品等」のうちの化粧品以外の製品は、薬事承認で効能効果の
範囲が決まっています。これらの製品の効能効果に関する表現を
チェックするときは、範囲を超えていないかをまず確認し、副次的
効果の表現になっていないかも注意しましょう。

　注意が必要なのは、いわゆる**言い換え表現**です。例えば「日焼け」
を「日やけ」に、「かみそりまけ」を「髭剃りによる肌の傷」として
も大丈夫ですが、承認された言葉を変えるときには、同じ意味になっ
ているか確認しましょう。**しばりの省略**がないかどうかも注意して
ください。

（2）化粧品の場合

　化粧品の場合は、薬事承認が不要なので、**56種類の効能効果**（Q39
参照）の範囲内になるようにチェックします。言い換え表現は同じ
意味になるようにすること、しばりの省略に注意することは他の医
薬品等と同じです。化粧品の場合は、効能効果を逸脱する表現をし
がちなので、NGワード集に頼らず、表現の内容でチェックするこ
とが大切です。

　また、**メーキャップ効果の表現**は、実際に身体が変化しているよ
うな表現になっていないかチェックしましょう。色彩的効果の場合

も、物理的効果の場合も、あくまで**見た目の変化**に過ぎません。

② 保証表現のチェック方法

　保証表現には様々な種類がありますが、チェックポイントは一般消費者に対して、効能効果や安全性が**確実だと思わせる**ような表現になっていないように注意することです。一般消費者の立場になって表現内容を考えることが大切です。

③ 使用体験談のチェック方法

　利用者の声など、実際に使用した人の感想を使用する広告表現は特によく見られます。この場合のチェックポイントは、**効能効果や安全性に関する内容を含んではいけない**ことです。「使用感」という言葉に惑わされないようにします（Q45参照）。

　表現できるのは、効能効果や安全性とは無関係な「使用感」と商品説明だけであることを意識しましょう。

④ 広告に医師などの専門家が登場するときのチェック方法

　医師などが製品の効能効果と安全性を保証することや推薦することは禁止されています。医療機器の業界の自主基準などを考えれば、医薬品等の広告に医師などの専門家が登場すること自体、広告を全体で見た時に「推薦」となる可能性が高いので**筆者は推奨しません**。

　ただし、適正広告基準では「効能効果・安全性」に関する推薦にならなければ直ちに違法ではありません。もし登場させる場合は、直接製品の効能効果や安全性に関する話題が含まれていないか、広告全体を見て一般消費者がどんな印象を持つのかを考えて、「推薦」になっていないか特に慎重に確認するようにしましょう。

5 医療用医薬品と医家向け医療機器の注意点

　意外と落とし穴になるものが、医療用医薬品と医家向け医療機器です。これらは**一般消費者向けの広告は禁止**されています。特に、医家向け医療機器の場合は、該当するかすぐにはわからないケースも多いので、メーカーに確認しましょう。

8

実際の広告チェックの流れ

医薬品の
広告チェックフローは？

医薬品は、人の身体や生命に影響を与えるため、効能効果や安全性、用法用量などの承認を受けて販売されるとても厳格なものです。広告にあたっては、正確な情報の提供と品位の保持に努めることを心がけましょう。

　まず、**1**医薬品が複数ある種類のどれにあたるのかを確認し、**2**医薬品ごとの規制をチェックします。次に、**3**製品の名称、**5**製造方法の記載があるかを確認し、あればそれぞれの規制に抵触していないかをチェックします。

　その後、広告を行う際、**7**重要な表示規制として①効能効果・性能、②原材料・成分、③原産国、④用法用量に関する表示のチェックを行います。

　ここまでに問題がなければ、**8**広告の効果を高めるような表現でルール違反はないかをチェックしてください。

Ⓐ 最大級の表現

Ⓑ 専門家、有名人等の監修の有無、意見などの表示

Ⓒ 広告内で他社の製品を表示

Ⓓ 懸賞の付与や値引きに関する表示

　続いて、**10**過量消費・乱用助長を促したり、品位を害したりするおそれのある表示は行ってはなりませんので、チェックします。**11**広告媒体（テレビ・インターネット・電子メール等）によって異なる規制がありますので、出広媒体を踏まえてチェックしてください。

　最後に、**12**景表法などが定める広告の一般規制のチェックを行って完了です。

● 医薬品の広告チェックフロー

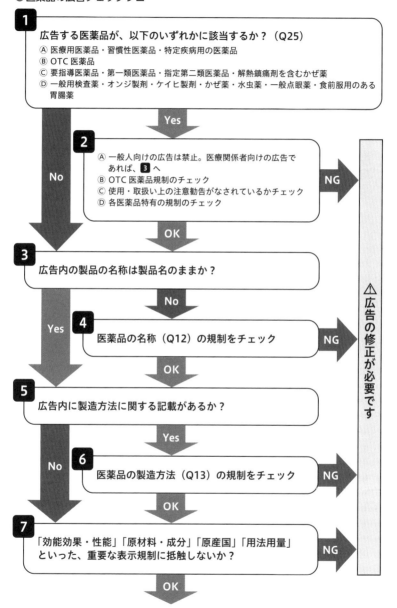

1

広告する医薬品が、以下のいずれかに該当するか？（Q25）

Ⓐ 医療用医薬品・習慣性医薬品・特定疾病用の医薬品
Ⓑ OTC医薬品
Ⓒ 要指導医薬品・第一類医薬品・指定第二類医薬品・解熱鎮痛剤を含むかぜ薬
Ⓓ 一般用検査薬・オンジ製剤・ケイヒ製剤・かぜ薬・水虫薬・一般点眼薬・食前服用のある胃腸薬

Yes

2

Ⓐ 一般人向けの広告は禁止。医療関係者向けの広告であれば、**3** へ
Ⓑ OTC医薬品規制のチェック
Ⓒ 使用・取扱い上の注意勧告がなされているかチェック
Ⓓ 各医薬品特有の規制のチェック

No

NG

OK

3

広告内の製品の名称は製品名のままか？

Yes

No

4

医薬品の名称（Q12）の規制をチェック

NG

OK

5

広告内に製造方法に関する記載があるか？

No

Yes

6

医薬品の製造方法（Q13）の規制をチェック

NG

OK

7

「効能効果・性能」「原材料・成分」「原産国」「用法用量」といった、重要な表示規制に抵触しないか？

NG

OK

⚠ 広告の修正が必要です

8

実際の広告チェックの流れ

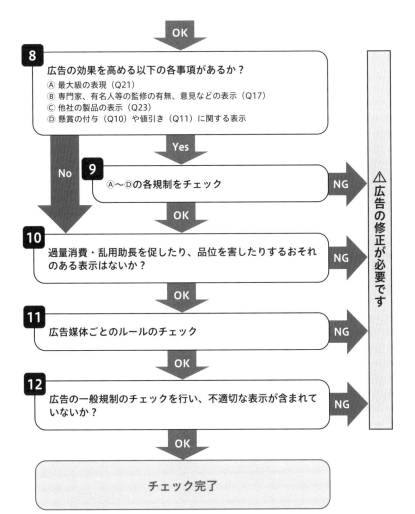

OK

8 広告の効果を高める以下の各事項があるか？
Ⓐ 最大級の表現（Q21）
Ⓑ 専門家、有名人等の監修の有無、意見などの表示（Q17）
Ⓒ 他社の製品の表示（Q23）
Ⓓ 懸賞の付与（Q10）や値引き（Q11）に関する表示

Yes

No

9 Ⓐ～Ⓓの各規制をチェック **NG**

OK

10 過量消費・乱用助長を促したり、品位を害したりするおそれのある表示はないか？ **NG**

OK

11 広告媒体ごとのルールのチェック **NG**

OK

12 広告の一般規制のチェックを行い、不適切な表示が含まれていないか？ **NG**

⚠ 広告の修正が必要です

OK

チェック完了

Q58 医療機器の 広告チェックフローは？

医療機器は、人の身体や生命に影響を与えるもので、効能効果や安全性、使用方法などの承認を受けて販売されるとても厳格なものです。広告にあたっては、正確な情報の提供と品位の保持に努めることを心がけましょう。

　まず、**1**一般向け広告が原則禁止の医家向け医療機器かどうかを確認し、**2**そこから例外的に広告できるもの、**3**一般向けでも特有の規制がある医療機器は、**4**個別規制をチェックします。次に、**5**製品の名称、**7**製造方法の記載を確認し、それぞれの規制に抵触していないかをチェックします。

　その後、広告を行う際、**9**非常に重要な表示規制、①効能効果・性能、②使用方法、③製造国、④原材料・形状・構造・寸法・原理に関する表示のチェックを行います。

　ここまで問題なければ、**10**広告の効果を高めるような表現でルール違反はないかをチェックしてください。

Ⓐ 最大級の表現・誇大な表現

Ⓑ 専門家、有名人等の監修の有無、意見などの表示

Ⓒ 広告内で他社の製品を表示

Ⓓ 懸賞の付与や値引きに関する表示

　続いて、**12**乱用助長を促すおそれのある表示は行ってはなりませんので、チェックします。**13**広告媒体（テレビ・インターネット・電子メール等）によって異なる規制がありますので、出広媒体を踏まえてチェックしてください。

　最後に、**14**景表法などが定める広告の一般規制のチェックを行って完了です。

◆ 医療機器の広告チェックフロー

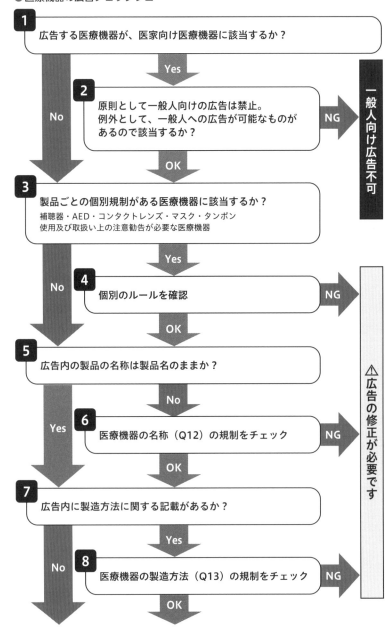

1 広告する医療機器が、医家向け医療機器に該当するか？

Yes

2 原則として一般人向けの広告は禁止。
例外として、一般人への広告が可能なものが
あるので該当するか？

No

NG → 一般人向け広告不可

OK

3 製品ごとの個別規制がある医療機器に該当するか？
補聴器・AED・コンタクトレンズ・マスク・タンポン
使用及び取扱い上の注意勧告が必要な医療機器

Yes

No

4 個別のルールを確認

NG

OK

5 広告内の製品の名称は製品名のままか？

No

Yes

6 医療機器の名称（Q12）の規制をチェック

NG

OK

7 広告内に製造方法に関する記載があるか？

Yes

No

8 医療機器の製造方法（Q13）の規制をチェック

NG

OK

⚠ 広告の修正が必要です

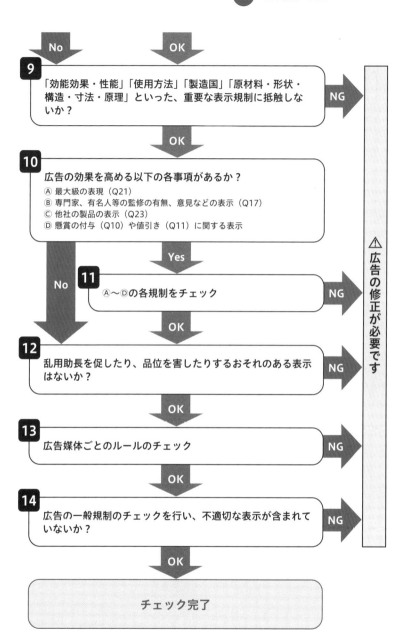

No OK

9 「効能効果・性能」「使用方法」「製造国」「原材料・形状・構造・寸法・原理」といった、重要な表示規制に抵触しないか？ NG

OK

10 広告の効果を高める以下の各事項があるか？
Ⓐ 最大級の表現（Q21）
Ⓑ 専門家、有名人等の監修の有無、意見などの表示（Q17）
Ⓒ 他社の製品の表示（Q23）
Ⓓ 懸賞の付与（Q10）や値引き（Q11）に関する表示

Yes

No **11** Ⓐ〜Ⓓの各規制をチェック NG

OK

12 乱用助長を促したり、品位を害したりするおそれのある表示はないか？ NG

OK

13 広告媒体ごとのルールのチェック NG

OK

14 広告の一般規制のチェックを行い、不適切な表示が含まれていないか？ NG

OK

⚠ 広告の修正が必要です

チェック完了

8

実際の広告チェックの流れ

Q59 美容健康家電の広告チェックフローは？

美容健康家電は医療機器と誤解されてしまうような広告を行ってはなりません。人の肌や筋肉等に物理的な作用を与える機能を有する以上、広告表示にも配慮が必要となります。医療機器に準じたフローで、広告表示の適切さを確保しましょう。

　まず、**1**広告する美容健康家電が本当に医療機器に該当しないことをチェックします。名称についての規制はありませんが医療機器との誤認を防ぐため、**2**「美容健康家電」であると明示することが望ましいです。**3**製造方法の記載があるか確認し、規制に抵触していないかをチェックします。

　その後、広告を行う際、**5**非常に重要な表示規制、①効能効果・性能、②使用方法、③製造国、④原材料・形状・構造・寸法・原理に関する表示のチェックを行います。

　ここまで問題なければ、**6**広告の効果を高めるような表現でルール違反がないかをチェックしてください。

Ⓐ 最大級の表現・誇大な表現

Ⓑ 専門家、有名人等の監修の有無、意見などの表示

Ⓒ 広告内で他社の製品を表示

Ⓓ 懸賞の付与や値引きに関する表示

　続いて、**8**乱用助長を促すおそれのある表示は行ってはなりませんので、チェックします（品位を害する表示については明確な規制はありませんが、当然望ましくありません）。

　9広告媒体（テレビ・インターネット・電子メール等）によって異なる規制をチェックし、最後に、**10**景表法などが定める広告の一般規制のチェックを行って完了です。

▼ 美容健康家電の広告チェックフロー

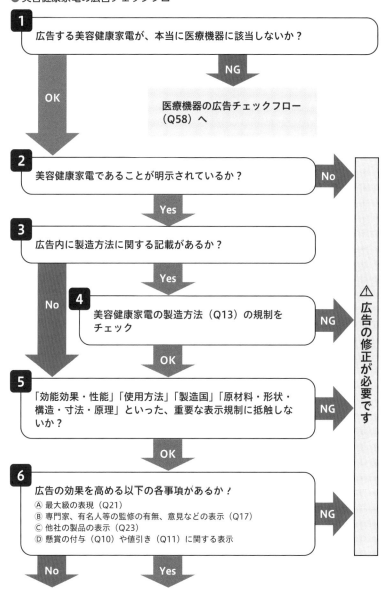

1 広告する美容健康家電が、本当に医療機器に該当しないか？

NG → 医療機器の広告チェックフロー（Q58）へ

OK ↓

2 美容健康家電であることが明示されているか？ → No → 広告の修正が必要です

Yes ↓

3 広告内に製造方法に関する記載があるか？

Yes ↓

4 美容健康家電の製造方法（Q13）の規制をチェック → NG → 広告の修正が必要です

No ↓ / OK ↓

5 「効能効果・性能」「使用方法」「製造国」「原材料・形状・構造・寸法・原理」といった、重要な表示規制に抵触しないか？ → NG → 広告の修正が必要です

OK ↓

6 広告の効果を高める以下の各事項があるか！
Ⓐ 最大級の表現（Q21）
Ⓑ 専門家、有名人等の監修の有無、意見などの表示（Q17）
Ⓒ 他社の製品の表示（Q23）
Ⓓ 懸賞の付与（Q10）や値引き（Q11）に関する表示
→ NG → 広告の修正が必要です

No ↓ / Yes ↓

8 実際の広告チェックの流れ

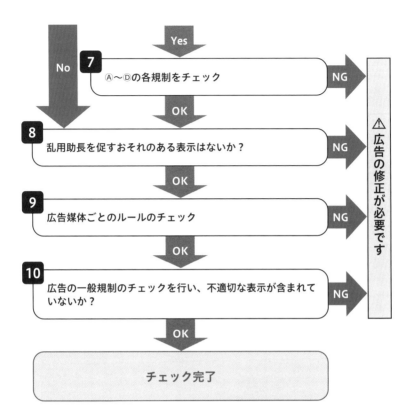

Yes

No

7 Ⓐ〜Ⓓの各規制をチェック　　**NG**

OK

8 乱用助長を促すおそれのある表示はないか？　　**NG**

OK

9 広告媒体ごとのルールのチェック　　**NG**

OK

10 広告の一般規制のチェックを行い、不適切な表示が含まれていないか？　　**NG**

OK

チェック完了

⚠ 広告の修正が必要です

Q60 医薬部外品の 広告チェックフローは？

医薬部外品は、医薬品と化粧品の中間のようなものなので、効能効果の表現には特に注意が必要です。医薬品と共通するルールも多いですが、特別なルールもあるので、注意しましょう。

医薬部外品には種類があるため、まず**1**どの種類にあたるのかを確認し、**2**業界の自主基準をチェックしましょう。次に、**3**製品の名称、**5**製造方法の記載を確認し、それぞれの規制に抵触していないかをチェックします。その後、広告を行う際、**7**非常に重要な表示規制、①効能効果・性能、②原材料・成分、③原産国、④用法用量に関する表示のチェックを行います。

ここまで問題なければ、**8**広告の効果を高めるような表現でルール違反はないかをチェックしてください。

Ⓐ 最大級の表現

Ⓑ 専門家、有名人等の監修の有無、意見などの表示

Ⓒ 広告内で他社の製品を表示

Ⓓ 懸賞の付与や値引きに関する表示

続いて、**10**過量消費・乱用助長を促したり、品位を害したりするおそれのある表示は行ってはなりません。

11医薬部外品を医薬品や化粧品と一緒に広告する場合は、広告内に「医薬部外品」「指定医薬部外品」と表示されているかどうかをチェックします。**12**広告媒体（テレビ・インターネット・電子メール等）によって異なる規制がありますので、出広媒体を踏まえてチェックしてください。

13最後に、景表法などが定める広告の一般規制のチェックを行いチェック完了です。

❂ 医薬部外品の広告チェックフロー

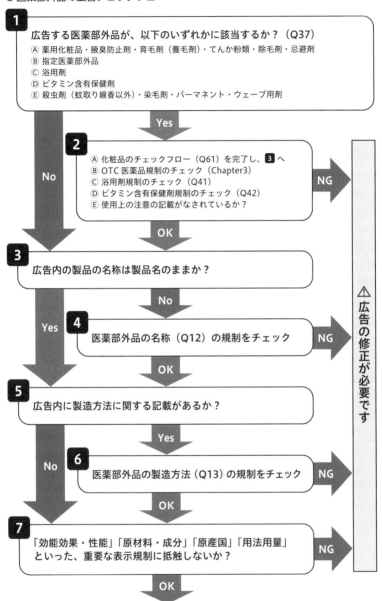

1 広告する医薬部外品が、以下のいずれかに該当するか？（Q37）
- Ⓐ 薬用化粧品・腋臭防止剤・育毛剤（養毛剤）・てんか粉類・除毛剤・忌避剤
- Ⓑ 指定医薬部外品
- Ⓒ 浴用剤
- Ⓓ ビタミン含有保健剤
- Ⓔ 殺虫剤（蚊取り線香以外）・染毛剤・パーマネント・ウェーブ用剤

Yes

2
- Ⓐ 化粧品のチェックフロー（Q61）を完了し、**3** へ
- Ⓑ OTC医薬品規制のチェック（Chapter3）
- Ⓒ 浴用剤規制のチェック（Q41）
- Ⓓ ビタミン含有保健剤規制のチェック（Q42）
- Ⓔ 使用上の注意の記載がなされているか？

NG

OK

No

3 広告内の製品の名称は製品名のままか？

No

4 医薬部外品の名称（Q12）の規制をチェック **NG**

Yes

OK

5 広告内に製造方法に関する記載があるか？

Yes

6 医薬部外品の製造方法（Q13）の規制をチェック **NG**

No

OK

7 「効能効果・性能」「原材料・成分」「原産国」「用法用量」といった、重要な表示規制に抵触しないか？ **NG**

OK

⚠ 広告の修正が必要です

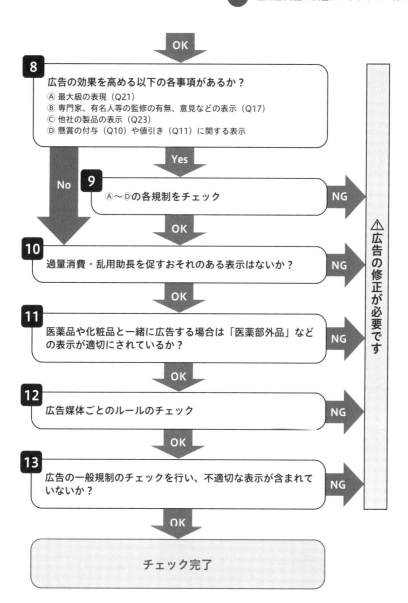

OK

8 広告の効果を高める以下の各事項があるか？
Ⓐ 最大級の表現（Q21）
Ⓑ 専門家、有名人等の監修の有無、意見などの表示（Q17）
Ⓒ 他社の製品の表示（Q23）
Ⓓ 懸賞の付与（Q10）や値引き（Q11）に関する表示

Yes

No

9 Ⓐ～Ⓓの各規制をチェック — **NG**

OK

10 過量消費・乱用助長を促すおそれのある表示はないか？ — **NG**

OK

11 医薬品や化粧品と一緒に広告する場合は「医薬部外品」などの表示が適切にされているか？ — **NG**

OK

12 広告媒体ごとのルールのチェック — **NG**

OK

13 広告の一般規制のチェックを行い、不適切な表示が含まれていないか？ — **NG**

OK

チェック完了

⚠ 広告の修正が必要です

8 実際の広告チェックの流れ

人の身体を清潔にし・美化し・魅力を増すなどのために、身体に塗擦・散布などするものは、大きく医薬品・医薬部外品・化粧品・雑貨の4つに分けられます。まずは、本当に化粧品にあたるのか、広告主に確認しましょう。

　まず、**1**化粧品にあたることを確認します。確定できた場合は、**2**製品の名称、**4**製造方法の記載があるか確認し、それぞれの規制に抵触していないかをチェックします。

　その後、広告を行う際、**6**非常に重要な表示規制、①効能効果・性能、②原材料・成分、③原産国、④用法用量に関する表示のチェックを行います。

　ここまで問題なければ、**7**広告の効果を高めるような表現でルール違反はないかをチェックしてください。

Ⓐ 最大級の表現

Ⓑ 専門家、有名人等の監修の有無、意見などの表示

Ⓒ 広告内で他社の製品を表示

Ⓓ 懸賞の付与や値引きに関する表示

　続いて、**9**医薬品、医薬部外品と一緒に広告する場合はそれぞれ「医薬品」や「医薬部外品」であって化粧品でないことが適切に表示されているか確認します。

　10広告媒体（テレビ・インターネット・電子メール等）によって異なる規制がありますので、出広媒体を踏まえチェックしてください。**11**使用・取扱い上で注意喚起が必要な事項がある場合には、その事項を記載する必要があります。

　最後に、**12**景表法などが定める広告の一般規制のチェックを行って完了です。

◉化粧品の広告チェックフロー

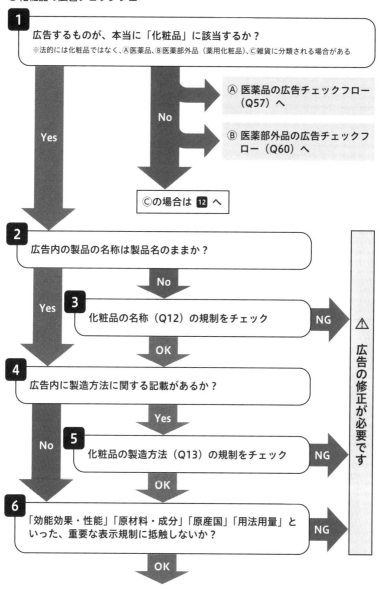

1 広告するものが、本当に「化粧品」に該当するか？
※法的には化粧品ではなく、Ⓐ医薬品、Ⓑ医薬部外品（薬用化粧品）、Ⓒ雑貨に分類される場合がある

Ⓐ 医薬品の広告チェックフロー（Q57）へ

Ⓑ 医薬部外品の広告チェックフロー（Q60）へ

No

Ⓒの場合は **12** へ

Yes

2 広告内の製品の名称は製品名のままか？

No

3 化粧品の名称（Q12）の規制をチェック

Yes

NG

OK

4 広告内に製造方法に関する記載があるか？

Yes

No

5 化粧品の製造方法（Q13）の規制をチェック

NG

OK

6 「効能効果・性能」「原材料・成分」「原産国」「用法用量」といった、重要な表示規制に抵触しないか？

NG

OK

⚠ 広告の修正が必要です

8

実際の広告チェックの流れ

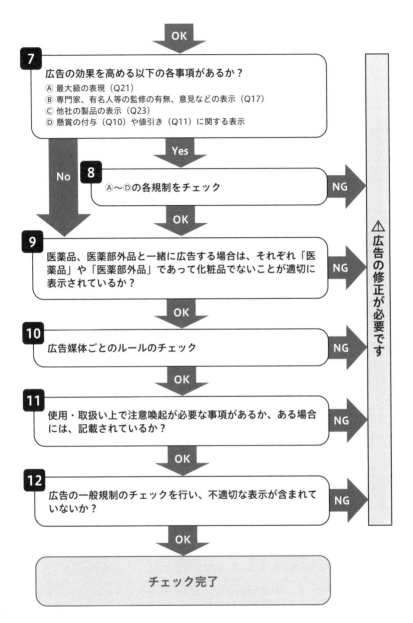

OK

7 広告の効果を高める以下の各事項があるか？
Ⓐ 最大級の表現（Q21）
Ⓑ 専門家、有名人等の監修の有無、意見などの表示（Q17）
Ⓒ 他社の製品の表示（Q23）
Ⓓ 懸賞の付与（Q10）や値引き（Q11）に関する表示

No　　　**Yes**

8 Ⓐ～Ⓓの各規制をチェック　**NG**

OK

9 医薬品、医薬部外品と一緒に広告する場合は、それぞれ「医薬品」や「医薬部外品」であって化粧品でないことが適切に表示されているか？　**NG**

OK

10 広告媒体ごとのルールのチェック　**NG**

OK

11 使用・取扱い上で注意喚起が必要な事項があるか、ある場合には、記載されているか？　**NG**

OK

12 広告の一般規制のチェックを行い、不適切な表示が含まれていないか？　**NG**

OK

⚠ 広告の修正が必要です

チェック完了

Q62 健康食品・サプリメントの 広告チェックフローは？

健康のために身体に摂り入れるものは、大きく「くすり」（医薬品や医薬部外品）・健康食品・その他の一般的な食品の3つに分かれます。

まず、**1**もっとも厳しい広告規制のある「くすり」にあたらないことを確認してください。食品は、**2**医薬品のような効能効果の表示（「病気が治ります」「病気予防に」「痩せます」のような表現）は禁止ですので、含まれていないか確認します。

次に、**3**健康保持増進効果等について、適切な表示かをチェックしましょう。一般的な食品は、健康維持・美容の範囲を超える効果を表現することはできません。

健康食品としての広告規制がある、**4**特定保健用食品（トクホ）・機能性表示食品・栄養機能食品・特別用途食品のいずれかの場合、健康増進法が定める個別の広告規制のチェックを行う必要があります。

- **トクホや特別用途食品**：許可の範囲を超えていないか？　許可の一部のみを表示していないか？　許可を受けたことを強調していないか？
- **機能性表示食品**：届出の範囲を超えていないか？　届出の一部のみを表示していないか？　届出していない成分を強調していないか？
- **栄養機能食品や特別用途食品**：トクホや機能性表示食品と誤解を生むような表現になっていないか？　など

最後に、**6**景表法などが定める広告の一般規制のチェックを行って終了です。

◉ 健康食品・サプリメントの広告チェックフロー

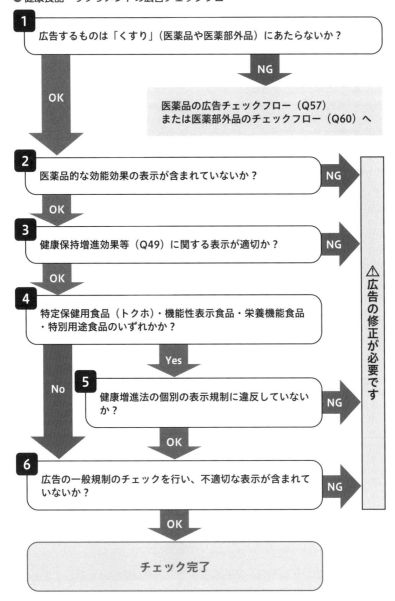

1 広告するものは「くすり」（医薬品や医薬部外品）にあたらないか？

NG → 医薬品の広告チェックフロー（Q57）
または医薬部外品のチェックフロー（Q60）へ

OK ↓

2 医薬品的な効能効果の表示が含まれていないか？ — NG

OK ↓

3 健康保持増進効果等（Q49）に関する表示が適切か？ — NG

OK ↓

4 特定保健用食品（トクホ）・機能性表示食品・栄養機能食品・特別用途食品のいずれかか？

Yes ↓　　No

5 健康増進法の個別の表示規制に違反していないか？ — NG

OK ↓

6 広告の一般規制のチェックを行い、不適切な表示が含まれていないか？ — NG

⚠ 広告の修正が必要です

OK ↓

チェック完了

254

あとがき

　私たち弁護士法人GVA法律事務所のメディカル・ビューティー・ヘルスケアチームは、医療・ヘルスケア・美容関係の多くの企業のサポートを専門にしています。また、マーケティング企業のサポート機会も多く、数多くのマーケティングに関するご相談を受けてきました。最近は、広告規制が厳しくなり、マーケティング方法のご相談のほか、広告表現のチェックのご依頼も増えています。

　企業のご担当者とお話をしているなかで、広告ルールの一定の知見があり、ご経験も積まれているにもかかわらず、正しく広告ルールを理解されていないと感じることが多くあります。

　一方、個人的にも違法な広告を目にするたびに、本当はよい製品やサービスなのに酷い広告のせいで製品やサービス自体を疑わしく感じ、嫌になっている自分自身に気付きました。多くの人も同じ思いをしているのだろうと考えられます。せっかくのよい製品やサービスを、なぜ違法な広告で台なしにするのだろう。広告をする企業はもちろん、社会的にも大きな問題だと思うようになりました。

　しかし、私たち弁護士が慣れた目で見がちな広告ルールも、改めて読めば、一般の方がこれを理解して使いこなすのはどれほど大変なことかも想像できます。また、私が把握しているものだけで、広告ルールは、金融商品関連のもの、公正競争規約などを含め200近くあり、確認するだけで一苦労です。

　そう思った私たちは「企業から依頼を受けて広告チェックができるのが弁護士だけなら、自分たちでルールをもっとわかりやすく伝えよう、正しい広告チェックのやり方を広めよう、やれることを始めよう」と決めました。そんな中で、共同編著者の五反田弁護士から「今までにないわかりやすい広告ルールの書籍を書きたい」という話があり、そこから、この本の執筆が始まりました。

　とはいえ、「悩んでいる多くの方のために、多種多様なルールを整理しな

がら重要なものをわかりやすく、しかし正しく、少しでも網羅的に」というそれぞれ相反しがちな目標を掲げて本書の使命としたため、細かなルールでやむなく掲載しなかったものもあります。ただ、悩んでいる多くの人たちを想像しながら執筆したものなので、もし本書が少しでもその目標に近づくことができたのであれば、この本をいま手に取っていただいている方々のおかげでもあります。

　今後も広告ルールは増えていくと予想されますが、基本的な考え方は変わらないでしょう。皆さんが本書を通じて理解されたものは、今後も末永く使えるものだと確信しています。「もっとこうしてほしい」とのお声もあると思いますが、それは次の機会にブラッシュアップしてお届けできればと思います。

　本書の出版にあたっては、技術評論社の和田規さんから多大なご助力をいただきました。この本でもっとも大切にしたかった「わかりやすく」という点は、和田さんから頂いたご意見に拠るところが大きく、固くなりがちな弁護士の文章が、一般のみなさまのための文章に生まれ変わる機会をいただきました。また、数多くのクライアントの方々やセミナーにご参加いただいた皆様の声や率直な疑問がなければ本書は生まれませんでした。そして、私たちの永遠の仲間である藤村亜弥弁護士、新しい道へ踏み出した山本大介弁護士の協力も欠かせないものでした。全ての方々に感謝いたします。

　本書が、日本中の素晴らしい物とサービスを包む包装紙やリボンのような、多くの素晴らしい広告を生み出す一助となればこれ以上の幸せはありません。必ず訪れる素敵な未来へと祈りを込めて。

　　　　　弁護士法人GVA法律事務所
　　　　　メディカル・ビューティー・ヘルスケアチームリーダー
　　　　　　　　　　　弁護士／パートナー　早崎　智久

執筆者紹介

早崎 智久

大正大学仏教学科卒業、専修大学法科大学院修了。2013年弁護士登録。2018年GVA法律事務所に入所。2023年パートナー就任。第二東京弁護士会所属。

主な取扱分野は、医療法・薬機法・ヘルスケア等の医療分野、EC、Fashion Tech、シェアリングエコノミー、プラットフォームビジネス等のITビジネス全般、その他宗教法関連、紛争・交渉等。医療・美容・ヘルスケアチームのリーダーとして、新規ビジネスのリーガルデザイン、景表法・薬機法・健康増進法などの各種広告規制への対応、医療情報に関する体制の整備などを専門としている。

（担当：Chapter1〜8、コラム）

鈴木 景

慶應義塾大学法学部卒業。2009年弁護士登録。2017年GVA法律事務所に入所。2020年パートナー就任。第二東京弁護士会所属。

取扱分野は幅広く、医療・美容をはじめとする広告規制対応や、食品関連ビジネス、旅行関連ビジネス、NFT関連ビジネス、気候変動、生成AI等、注力分野は多岐にわたる。

（担当：Chapter2）

五反田 美彩

日本大学法学部法律学科卒業、立教大学法科大学院修了。2015年弁護士登録。2018年GVA法律事務所に入所。第一東京弁護士会所属。

主な取扱分野は企業法務、医療機器・医薬品・ヘルスケア、ファイナンス、IPO等。特に医療機器・薬機法・情報利活用に注力。

（担当：Chapter1〜4、8）

宮田 智昭

京都大学法学部卒業、京都大学法科大学院修了。2020年弁護士登録。同年 GVA 法律事務所に入所。第一東京弁護士会所属。
主な取扱分野は企業法務、医療機器・美容・ヘルスケア、ファイナンス、ベンチャー法務等。特にオンライン診療、プログラム医療機器をはじめとする医療領域の新規分野に注力。
（担当：Chapter2、4，5）

大橋 乃梨子

中央大学法学部法律学科卒業、神戸大学法科大学院修了。2016年弁護士登録。2017年 GVA 法律事務所に入所。東京弁護士会所属。
主な取扱分野は企業法務、ベンチャー法務、ヘルスケア、紛争等。特に医療・介護、M&A 分野に注力。
（担当：Chapter5）

岡野 琴美

京都大学法学部卒業、京都大学法科大学院修了。2023年弁護士登録。同年 GVA 法律事務所に入所。第二東京弁護士会所属。
主な取扱い分野は企業法務、ベンチャー法務全般。特に、医療・美容・ヘルスケア、FinTech、人事労務分野に注力。
（担当：Chapter6）

執筆協力：藤村 亜弥（第一東京弁護士会所属）
　　　　　山本 大介（第二東京弁護士会所属）

索引

■問い合わせについて

本書の内容に関するご質問は、QRコードからお問い合わせいただくか、下記の宛先までFAXまたは書面にてお送りください。なおお電話によるご質問、および本書に記載されている内容以外の事柄に関するご質問にはお答えできかねます。あらかじめご了承ください。

〒162-0846
東京都新宿区市谷左内町21-13
株式会社技術評論社　書籍編集部「Q&Aでわかる　医薬品・美容・健康商品の「正しい」広告・EC販売表示」質問係
FAX:03-3513-6181
※ご質問の際に記載いただいた個人情報は、ご質問の返答以外の目的には使用いたしません。また、ご質問の返答後は速やかに破棄させていただきます。

装丁　　　　　　　APRIL FOOL Inc.
本文デザイン・DTP　SeaGrape
編集　　　　　　　和田　規（技術評論社）

Q&Aでわかる 医薬品・美容・健康商品の「正しい」広告・EC販売表示

2023年9月29日　初版　第1刷発行

編著者	弁護士法人GVA法律事務所 弁護士 早崎智久、五反田美彩
発行者	片岡　巌
発行所	株式会社 技術評論社
	東京都新宿区市谷左内町21-13
電話	03-3513-6150　販売促進部
	03-3513-6185　書籍編集部
印刷／製本	日経印刷株式会社

©2023　弁護士法人 GVA法律事務所

ISBN978-4-297-13651-2　C0063
Printed in Japan